CU00964962

Wohin?
Warum?
Wie war's?

Unbekanntes
Mittel-Irland

Ute Fischer
Bernhard Siegmund

Ein Buch aus dem
Redaktionsbüro Fischer + Siegmund
In den Rödern 13, 64354 Reinheim

Gewidmet unserer charmanten Reisebegleiterin
Eva Schneising

Fotos: Fischer (22), Siegmund (22)

Das Buch wurde nach bestem Wissen zusammengestellt. Für die Richtigkeit der beschriebenen Angaben wird keine Gewähr übernommen

ISBN: 978-3-7494-2062-9

Jede Verwertung des Werkes außerhalb der Grenzen des Urheberrechtsgesetzes ist unzulässig und strafbar. Dies gilt insbesondere für Übersetzung, Nachdruck, Mikroverfilmung oder vergleichbare Verfahren sowie die Speicherung in Datenverarbeitungsanlagen.

© 2019 Ute Fischer + Bernhard Siegmund

Herstellung und Verlag: BoD - Books on Demand, Norderstedt

Wohin – warum – wie war`s?
Unsere Reise durch Mittel-Irland

Vorwort

Dies ist kein übliches Reise-Buch. Zwar waren wir als Reisejournalisten Jahrzehnte lang unterwegs, geübt in Reiserecherche und Reisereportagen. Doch diese Geschichte ist eine private, nicht unbedingt objektiv, sondern eher sehr subjektiv, wie man eben private Reisen empfindet. Das spiegelt sich wider in den Flops und Tops, die wir erlebten. Kurz: Wir haben uns als Reisende selbst aufs Maul geschaut, uns selbst zugehört und unsere Gefühle reflektiert, ohne Rücksicht auf irgendjemanden und irgendetwas, außer auf uns selbst.

Mittel-Irland ist bereits das elfte Buch dieser Reihe. Wenn wir von Reisen heimkehren, suchen wir immer nach einer erschöpfenden Antwort auf die Frage: „Wie war`s?" Wer selbst reist, weiß, dass es darauf keine einfache, vor allem kurze Antwort geben kann. Klar. Schön war`s. Und aufregend. Und ganz anders, als erwartet. Das alleine wäre aber ein ärmliches Fazit und könnte nicht einmal ansatzweise beschreiben, wie unsere Irland-Reise verlief. Fahren Sie doch einfach mal selbst hin!

Die schwarze Wolke

34 Jahre sind es her, dass wir einige Urlaubs-wochen auf der Insel verbrachten. Unser Sehn-suchtsziel war damals der „Ring of Kerry" im Südwesten, da wo 1857 das Transatlantikkabel aus den USA Europa erreichte, ein Kabel aus sechs Kupferdrähten, das Trinity Bay auf Neu-fundland mit Valentia Island, den westlichsten Zipfel Europas verband. Wir hatten auf der nur elf Kilometer langen Insel ein Häuschen gemie-tet, Bernhard, damals noch neuer Lebensge-fährte und seine Tochter Claudia, bockige 15 Jahre alt. Erst wollte sie gar nicht und empfing es fast als Nötigung, dass sie mit sollte. Später, als Erwachsene und schon Mutter unseres En-kels Hieronymus, erzählte sie, das sei die schönste Reise ihres jungen Lebens gewesen.

Irland bedeutet für mich heute noch eine schwarze Wolke. Nicht wegen des Wetters. Nein, lustigerweise hatten wir damals drei Wo-chen schönsten Sonnenschein, während zur gleichen Zeit die nach Spanien geflüchteten Iren mit Starkregen geprügelt wurden. Die düs-tere „Wolke" stammt von einer Borreliose, die ich mir von dort mitgebracht hatte. Ich erinne-re mich noch gut, dass wir uns morgens immer gründlich absuchten, im Glauben, dass Zecken in unseren Betten krabbeln würden. Fast war es wie ein Wettbewerb: Wer hat am meisten? Von Borreliose wusste damals niemand etwas in Deutschland und schon gar nicht, dass wir die Biester tagsüber beim Querfeldeinlauf durch die Fuchsienbüsche abgestreift hatten und sie nachts auf Beutezug auf unseren Körpern gingen.

Ich erinnere mich noch lebhaft an mein geschwollenes Knie, an rote Flecken und einen roten Ring, der heute als Wanderröte Allgemeinwissen darstellt. An die 20 Jahre hatte ich mit dieser und nachfolgenden Infektionen zu tun. Arzt-Odysseen, Irritationen und Schmerzen begleiteten mich täglich. Borreliose aus Irland. Ich prophezeie: Nun bringe ich sie zurück!

Abreise

Waren wir 1983 noch zeitlich ziemlich aufwändig mit PKW über Paris, am nächsten Tag mit der Fähre von Le Havre nach Southampton und nach einer beruflichen Woche in Wales von Holyhead nach Dublin angereist, sollte es dieses Mal schneller gehen. Mit dem Flieger von Frankfurt nach Dublin. Immerhin waren wir damals fünf Wochen unterwegs gewesen. Diese Reise ist auf acht Tage projektiert. Das ist gut machbar, wenn man eine gute Reiseleitung hat, wie wir mit Eva Schneising. Die Dame leitet seit Jahrzehnten Studienreisen für die Volkshochschule Darmstadt-Dieburg. In dieser Eigenschaft lernten wir sie vor zwei Jahren zufällig über ein Plakat im Supermarkt kennen, wo eine Reise nach Kalabrien ausgeschrieben war. Organisation, Unterbringung und das ganze Drum und Dran waren damals fabelhaft. Wir wussten also, was uns in etwa erwarten dürfte: Leute aus unserem Landkreis, kundige Guides vor Ort, allerdings längere Busfahrten, weil die Teilnehmer im Schnitt alle nicht mehr so gut zu Fuß sind. Aber darauf wollten wir uns einlassen. Auch wir waren ja zwei Jahre älter geworden.

1.Tag

Normalerweise fahren wir nach Darmstadt stets mit dem Bus. Aber das Angebot, das Auto im Parkhaus am Hauptbahnhof für 26 Euro die ganze Woche stehen lassen zu können und bei der Heimreise nicht erst auf den Bus warten zu müssen, der am Abend sowieso nur alle zwei Stunden fährt, war verlockend. So wählten wir die komfortablere Lösung: Auto. Um 8.15 Uhr wollte sich die Gruppe hinter dem Bahnhof treffen. Wir sind nicht die ersten. Wie in Kalabrien kennen sich die meisten von früheren Reisen mit Eva. Letztes Jahr waren sie in

Schottland, im Frühling auf den Azoren, wozu wir auch einiges an Erfahrungen – immerhin ein ganzes Buch – beizusteuern haben. Eine Dame kennt uns aus Kalabrien. Erst im Laufe der Woche werde ich mich an sie erinnern.

Es ist kühl an diesem Augustmorgen. Am Vortag noch haben wir Bernhards Geburtstag kurzärmelig auf der Terrasse gefeiert und nun stehen wir mit langärmliger Bluse und Windjacke, den Pullover griffbereit im Rucksack, an der Straße und warten auf den Charterbus, der uns zum Flughafen bringen wird. Weil Bernhard seine Sonnenbrille vergessen hat, jogge ich zum Auto zurück. Unterwegs schon im Parkhaus ruft er mich an. Er hat sie gefunden. Erst zwei Tage später wird er feststellen, dass es nicht die Sonnenbrille war, sondern das Etui mit der Ersatzbrille. Beim Suchen im Rucksack findet er aber ein kleines schwarzes Schlüsselmäppchen. Nach unserer Island-Reise glaubte er, es verloren zu haben. Nach negativen Bescheiden von verschiedenen Fundbüros, kauften wir ein neues und ersetzten auch die vermeintlich verlorenen Schlüssel. Tja, seit Island hatte er diesen Rucksack nicht mehr in der Hand gehabt. Es ist immer das gleiche Problem: ein schwarzes Etwas in einem schwarzgefütterten Behältnis.

Im Charterbus sitzen bereits Mitreisende aus Dieburg. Zusammen sind wir 23. Wie schon erwähnt, kennen sich die meisten von früheren Reisen und sind per Du mit Eva. Das hat sich bei uns nicht ergeben, also bleiben wir beim Sie, auch wenn Frau Schneising jetzt im Buch nur noch Eva heißen wird. Am Flughafen schaue ich mir die Mitreisenden genauer an. Eine Dame kenne ich. Ist sie es? Freilich, Ilse. Sie wohnt nur eine Straße weiter und wir trafen uns in den vergangenen Jahren zwar selten, aber immer wieder.

Der Flug mit Air Lingues dauert zwei Stunden. Wirklich voll ist der Airbus 320 nicht. Es scheint ein richtiger Sparflug zu sein: Verpflegung kostenpflichtig. Ein Kaffee und ein Tee

kosten stolze sechs Euro. Das sind wir uns wert. Mein Kaffeebecher ist Neuland für mich. Er enthält praktisch schon das Kaffeemehl; darauf wird heißes Wasser gegossen und man trinkt durch einen Deckelrand, der das aufgebrühte Kaffeemehl abfiltert. Das Catering und die Preisliste reißen uns nicht von den Stühlen: Sandwich mit heißem Getränk sechs Euro; zusätzlich Wein oder Bier für zwei Euro. Ein Baguette mit Bacon, Zulagen und Ballymaloe-Relish fünf Euro. Wasser drei Euro, Wein allein sechs Euro. Hast Du Hunger? Nö.

Unsere Gruppe sitzt ziemlich verstreut. Wir stellen unsere Uhren um eine Stunde zurück auf Greenwich-Time, Dublin-Zeit. Obwohl wir der englischen Sprache mächtig sind, verstehen wir nichts, als der Kapitän seine Messages in rasender Geschwindigkeit herunterleiert. Selbstverständlich spricht er auch kein Oxford-English, sondern Irisch-Englisch. Der ganz spezielle Zungenschlag, erinnert uns an die herzliche aber schier unverständliche Miss O'Shee damals in Cahirciveen, unserem Domizil, bevor wir über die Brücke von Port Magee nach Valentia Island übersiedelten. Lang, lang ist's her.

Irischer Segenswunsch

Deine Reise sei ohne Gefahr, deine Ankunft sei von Glück gesegnet. Und wenn du wieder nach Hause zurückkehrst, sollst du um tausend Erlebnisse reicher sein.

Dublin Airport

Es fehlen 15 Koffer. Eva irrt mit ihrem Anführersignal, einer langstieligen roten Seidenrose, durch die Halle des Bagage Claims und versucht, ihre Schäfchen beieinander zu behalten. Die Kofferlosen klappern die Gepäckbänder ab. Nichts. Erste Aufruhr entsteht. Das fängt ja gut an. Es vergehen an die 20 Minuten, bis sich das inzwischen leergelaufene Band wieder in Bewegung setzt und die vermissten Gepäckstücke ausspuckt. Und dann lernen wir den Herrn kennen, den alle als Ecki bezeichnen und offensichtlich von früheren Irland-Reisen kennen: Eckhard Ladner. Er strahlt mit breitem Lachen und winkt, als würde er liebe Verwandte und heimkehrende Freunde begrüßen. Einige fallen ihm um den Hals. Ecki vorn und Ecki hinten.

Ecki ist Busfahrer und Reiseführer in einer Person. Der studierte Sozialwissenschaftler stammt aus Süddeutschland, genauer aus Bad Urach in Schwaben, studierte in Wuppertal und lebt der Liebe wegen seit 35 Jahren in Irland. Im Laufe der Tage wird er uns einige Geschichten darüber erzählen, über das Leben in Irland, über sich, über Politik, über Katholiken und Protestanten und wie das alles dazu führte, dass es zur Abspaltung Nord-Irlands kam und trotzdem immer noch kein Frieden zwischen den Religionen herrscht, herrschen kann. Ich begreife, dass wir durch unsere Medien höchst oberflächlich informiert werden, warum es dort immer wieder brodelt und zündelt. Freilich könnten auch wir, die Leser, von uns aus mehr in die Tiefe schauen. Ecki inspiriert dazu.

42 Sitzplätze im Bus für 23 Personen versprechen eine komfortable Verteilung. Einige Paare sitzen getrennt, jeder an einem Fenster. Wir werden auf die Anschnallpflicht in Irland hingewiesen. Die Gurte funktionieren sogar. Ecki hat reichlich Mineralwasser gebunkert, mit und ohne Sprudel, gekühlt und handwarm. Je Flasche ein Euro; das ist okay. Einfach hinlegen vorne im Bus. Ecki vertraut uns. Eiderdaus: Auch in Irland gibt es ALDI.

Nach Dublin in die City

Draußen scheint zwar die Sonne, aber auch ein paar Regenwolken hängen wie nasse Federbetten über uns. Irland-Wetter . Doch erst fahren wir durch einen von Österreichern gebauten Tunnel; er sei mit 4,5 Kilometern der längste in Irland und gedacht, den Schwerverkehr um Dublin herum zu lenken. Allerdings klappt das nur mit LKW, die nicht höher sind als 4,65 Meter. Weil aber etliche dieser Laster heute schon höhere Aufbauten besitzen, überlegt man, ob sich der Tunnelboden eventuell absenken lasse. Ich weiß nicht, ob das als Scherz gemeint ist.

Dublin in Zahlen und Fakten

Die Hauptstadt und größte Stadt Irlands liegt an der Mündung des River Liffey. Er teilt die Stadt in Nord und Süd. In der Kernstadt allein wohnen rund 560.000 Einwohner. Mit allen eng aneinander gebauten Stadtteilen, Randgemeinden und Küstendörfern kommen 1,2 Millionen Einwohner zusammen, die dicht an dicht leben. Irland insgesamt hat 4,5 Millionen Einwohner. Daran erkennt man, dass mehr als ein Drittel der Iren hier lebt und sich der Rest auf die weiten Landschaften verteilt.

Die erste Erwähnung Dublins stammt aus dem Jahr 140; eine keltische Siedlung. 700 Jahre später gründeten die Wikinger daneben ein eigenes Dorf und nannten es „Duibhlinn", was so viel heißt, wie Schwarzer Teich"; gemeint war wohl das durch den Liffey (männlich – von River) gebildete Mündungsbecken an der Irischen See. In Dublin herrscht ein sogenanntes Mikroklima. Die Stadt sei hierdurch ein paar Grade wärmer als das umgebende Gebiet. Das merke man besonders, wenn man von den Außenbezirken in die Stadtmitte fahre. Die bisher niedrigste Temperatur habe bei -12° C gelegen, die höchste bei 31°C. Schnee sei sehr selten.

Wir erreichen Dublin am Hafen. Er sei in den letzten Jahren massiv gewachsen, erzählt Ecki. Nein, es ist keine Stadtführung im eigentlichen Sinn geplant; wir fahren einfach durch die Stadt, während Ecki uns rechts und links ein paar Sehenswürdigkeiten nennt: Die alte Lagerhalle am Liffey, wo die Truppe Riverdance ihre Karriere startete. Die St. Patricks Cathedral, die größte Kirche Irlands. Die gusseiserne 200 Jahre alte Ha`(Half) Penny Bridge über den Liffey als Verbindung zum Ausgeh-Stadtteil Temple Bar. Das Trinity College, die berühmte Universität aus 1592, in der unter anderem alte Schriften archiviert werden wie das berühmte „Book of Kells", das angeblich kostbarste Buch Irlands, das von Mönchen in einem Kloster bei Kells, County Meath, geschrieben wurde. Wir werden den Ort noch besuchen. Obdachlose betteln bei den Autofahrern. Ecki erzählt, dass es hier wenigstens 8.000 Menschen ohne ein Dach über dem Kopf gibt, davon 3.000 Kinder.

Mehrfach queren wir den Liffey, der allein im Stadtgebiet elf Brücken aufweist. Was sehen wir noch: Eine von Holländern erbaute Schwenkbrücke in der Form einer Harfe. Die Bank of Irland. Dublin Castle. Das Gerichtsgebäude von Four Courts (vier Gerichte). Das „Leinster House", Sitz des Parlaments. Dublin Castle. Nationalgalerie. Jugendstilbad. Mehrmals kreuzen wir die quirlige Einkaufsstraße O'Connel Street. Nahe dem Hauptpostamt steht eine erst 2003 errichtete, nachts beleuchtete 123 Meter hohe Säule aus Edelstahl, „Spire" (Turm) genannt. Von unten mit drei Metern Durchmesser verjüngt sie sich nach oben bis auf 15 Zentimeter, weshalb sie die Dubliner als den „größten Zahnstocher der Welt" bezeichnen.

Wir passieren das ehemalige Hauptzollamt „Coustom House" mit seinen prächtigen Arkaden und Säulen am Liffey-Ufer. Oh ja wir begreifen: Dublin muss eine fantastische Stadt sein. Schon allein die Durchfahrt weckt bei uns beiden Gelüste, ganz schnell noch einmal ein paar Tage hierher zu kommen. Schon bei den Vorbereitungen scheitern wir dann an der mangelnden Unterstützung vom Irischen Fremdenverkehrsamt in Frankfurt. Alles, was wir erhalten, sind ein paar Adressen von Reiseveranstaltern. Mit DERTOUR machen wir nichts mehr. Zu stark sitzt uns der Schock mit unserer missglückten Indian-Sommer-Reise durch New England in den Knochen. Die anderen Anbieter sind nur für Gruppen oder existieren gleich gar nicht mehr. Sorry, deshalb wird es in diesem Büchlein keinen ausführlichen Teil von Dublin geben. Vielleicht später einmal. Wir nehmen uns ernsthaft vor, so bald wie möglich eine Städtereise nach Dublin zu unternehmen. Also verlassen wir Dublin entlang dem Liffey und peilen unser erstes Ziel an:

Phönix-Park

Er liegt drei Kilometer nordwestlich des Stadtzentrums und wird die „Grüne Lunge Dublins" genannt. Mit rund acht Quadratkilometern Fläche ist er doppelt so groß wie der Central Park in New York. Im 17. Jahrhundert, ursprünglich als exklusives Jagdrevier für die englischen Gouverneure angelegt, durfte er bereits 1747 von jedermann kostenlos besucht werden. Der Name Phönix stammt nicht von dem Vogel, der sich aus der Asche erhob ab, sondern vom irischen „Fionn Uisce", übersetzt „Klares Wasser".

An diesem sonnendurchfluteten Augusttag tummeln sich im Park viele Jogger, Radfahrer, Skater, ein paar Reiter und viele, viele Spaziergänger, Familien mit Kinderwagen, Alte Leute mit Stock oder Rollator. Man kann hier Fahrräder leihen und Segways. Manchmal finden Motorradrennen statt. Etliche alte, breit ausladende Bäume zeugen davon, dass hier in den vergangenen vierhundert Jahren exquisite Gartengestalter am Werk waren und Exoten aus

aller Herren Länder anpflanzten. Im Park befinden sich verschiedene Sportgelände für Cricket, Polo und Tennis, der Dubliner Zoo, die Botschaft der USA sowie die Residenzen des irischen Präsidenten und das Hauptquartier der irischen Polizei. Irgendwo steht das Wellington Monument, ein 62 Meter hoher Obelisk, sowie das Papst-Kreuz, unter dem Papst Johannes Paul II 1979 vor 1,2 Millionen Menschen eine Messe las. Hier läuft auch ein Rudel Damwild frei herum. Jedes Jahr gibt es Open-Air-Konzerte.

Wir dürfen uns erst einmal die Beine vertreten und frei schlendern bis zum vereinbarten Treffpunkt am Farmleigh-House. Es reicht gerade, für einen Espresso, eine wunderschöne kleine Gartenanlage mit bunten Stauden abzulaufen und die Toilette zu benutzen.

Farmleigh

Das in der Mitte des 18. Jahrhunderts erbaute Anwesen liegt auf einer Anhöhe über dem Fluss Liffey und dient als Gästehaus für Staatsgäste und Empfänge. Fotos erinnern an Besuche und Übernachtungen von Barak Obama, Queen Elisabeth, Charles und Camilla, sowie Würdenträger aus China, Äthiopien, Malaysia und Neuseeland. Das ursprünglich kleine zweistöckige Haus im georgianischen Stil, wurde nach dem Verkauf an Edward Guinnes (1847 bis 1927), ein Urenkel des Guiness-Erfinders Arthur Guiness, umfangreich renoviert und erweitert. So wurde ein drittes Stockwerk daraufgesetzt, kam 1896 ein Ballsaal hinzu und 1901 ein Jugendstil-Wintergarten, den man für Feste buchen kann.

Guiness

Das dunkle Bier wird seit 1759 ursprünglich nur in Irland, heute in der ganzen Welt gebraut. Zum Ur-Braurezept Guiness Stout kamen noch mehrere Rezep-

te dazu, zum Beispiel das Guiness Draught, das mit einem Gemisch aus 30 Prozent Kohlensäure und 70 Prozent Stickstoff gezapft wird. Dadurch erhält es den cremigen samtigen haltbaren Schaum. 2016 änderte man erstmals das seit 256 Jahren bestehende Brauverfahren, in dem man nun auf den Einsatz sogenannter Hausenblase – die getrocknete Schwimmblase eines Fisches aus der Familie der Störe – verzichtet. Hausenblase dient der Schönung (Klärung) von Wein und Bier, in dem es Trübstoffe bindet, die dann besser ausgefiltert werden können. Damit will man vor allem den Veganern näher kommen. Außerdem stehen die Störe heute unter Artenschutz.

1999 erwarb der Staat Farmleigh für Repräsentationszwecke für 29,2 Millionen Euro und investierte weitere 23 Millionen Euro für die Sanierung. Seit 2009 kann man es als organisierte

Gruppe besuchen. Der Speisesaal ist einge-
deckt, als würden heute Abend hundert Gäste
hier speisen. Die irische Harfe verziert Serviet-
ten und Porzellan. Wir werden durch verschiedene Schlafräume geführt, angefüllt mit Anti-
quitäten und Gemälden von den früheren Gui-
ness-Eignern und deren Kindern. Wir dürfen
auch einen Blick in die mehrstöckige Biblio-
thek mit Bucheinbänden bis ins 13. Jahrhundert und älter werfen. Beeindruckend.

Die Gärten sind frei zugänglich. Im Sommer
finden öffentliche Konzerte statt sowie Hand-
werker- und Lebensmittelmärkte. Für den Namen Farmleigh ließ sich keine Erklärung finden. Auch Ecki zuckte nur mit den Schultern.
Dann machen wir uns auf zu unserem ersten
Domizil Navan.

Im Vorbeifahren sehen wir den

Hill of Tara

Seit Jahrhunderten gilt der heute grasbewach-
sene Hügel als Heimat der Götter und Drui-
den. Hügelgräber und ringförmige Erdarbeiten
werden auf mindestens 4.000 Jahre geschätzt.
Im 3. Jahrhundert habe es auf der Hügelspitze
eine Residenz gegeben, die später der Sitz der
legendären irischen Hochkönige gewesen sei.
Alle drei Jahre trafen sich hier die Könige des

vorchristlichen Irlands zum „Feis", um Gesetze zu beschließen.

Um das Wirken dieser insgesamt 142 Könige
ranken sich berühmte Sagen und Legenden,
unter anderem die Geschichte von König Lao-
ghaire, der stehend mit seinem Schwert in der
Hand auf dem Hill of Tara beigesetzt worden
sei, damit er noch im Tode seine Feinde in
Schach halten konnte. Gekrönt wurden die
Könige auf dem „Lia Fáil", ein Krönungsstein,
der noch heute zu besichtigen ist.

Erst mit Verbreitung des Christentums im 5.
Jahrhundert verlor jener Ort Tara seine mysti-
sche Bedeutung. Er gilt aber noch immer als
einer der wichtigsten prähistorischen Stätten
Europas. Im August 1843 versammelten sich
750.000 Iren auf dem Hügel, um der Rede Daniel O'Connells zu lauschen. Als Führer der
Opposition sprach er gegen den Zusammen-
schluss mit Großbritannien.

Hieß nicht auch das Anwesen der O'Hara's im
Südstaatenepos „Vom Winde verweht" von
Margaret Mitchell „Tara"? Tatsächlich könnte es
da eine Beziehung geben. Väterlicherseits stammen Mitchells Vorfahren zwar aus Schottland,
aber ihr Großvater mütterlicherseits emigrierte
aus Irland. Volltreffer? Vermutlich wäre das bekannt, wenn etwas dran wäre. Also: abgehakt.

Navan

Zwei Nächte sind im Hotel Newgrange geplant, das so heißt, wie eine berühmte Ganggrab-Anlage hier in der Nähe. Das Stadtbild ist sicher austauschbar. Aber wir sind zu müde, um die zehntgrößte Stadt Irlands abzulaufen. Immerhin leben hier 31.700 Menschen. Wo? Die sitzen wohl alle vor dem Fernseher. Früher war Navan berühmt für Teppiche und Möbelindustrie. Die gibt es nicht mehr. Jedoch die Mine Tara ist Europas größte Blei- und Zinkmine, mit 345.000 Tonnen die neuntgrößte der Welt und beschäftigt knapp 600 Mitarbeiter. Das gewonnene Erz wird täglich mit der Bahn zum Verschiffen in den Hafen nach Dublin geschickt.

Das kleine, fast intime Gästehaus „Newgrange" liegt in der Bridge Street vis ´a vis einer großen Steinkirche. Weil wir aber erst mal einen Geldautomaten suchen, landen wir in der engen City und lesen erst nach der Abreise von den Flüssen Blackwater und Boyne, die unweit unseres Hotels zusammentreffen. In den Blackwater entsorgt die Mine von Tara ihre Abwässer. Daher wohl der Name. Am Fluss Boyne fand 1691 die berühmte Schlacht „Battle of the Boyne" statt: Die Auseinandersetzung des katholischen Jakob II. und dem Protestanten Wilhelm von Oranien. 105 Tage belagerten die Katholiken die protestantischen Engländer in Derry. Doch die Oranier schworen: Wir geben nicht auf – no surrender!" Und so störrisch blieb es bis heute, wie man aus den Brexit-Verhandlungen weiß. Mit dieser Schlacht besiegelten damals die Oranier die Unterwerfung der irischen Bevölkerung unter die protestantische-englische Oberhoheit.

Navan, die Hauptstadt der Grafschaft Meath, ist angeblich das Tor zu den geschichtsträchtigsten Stätten Irlands. Wir dürfen uns freuen auf Trim Castle, die Klosteranlage von Kells (Book of Kells), Mullagh, der Geburtsort des Heiligen Kilian von Würzburg und auf den Ganggrabfriedhof Loughcrew. Zum Abendessen im Rowleys Pup gibt es einen Ceasar's Salad – den bekommt man seit einigen Jahren überall in unterschiedlichsten Variationen als undefinierbare Mischung von Resten nachgeworfen – und gegrillten Lachs. Hatten wir vor Reiseantritt daran gezweifelt, in Irland ordentlichen Wein zu bekommen, werden wir nun eines Besseren belehrt. Ein guter chilenischer Merlot wird uns kredenzt. Freilich sechs Euro das Glas. Aber wir wollen ja nicht an unserm Genuss sparen. Das erste Guiness heben wir uns noch auf.

Der Keltische Tiger

Spätestens in Navan treffen wir auf den Begriff des Keltischen Tigers. Diesen Titel erwarb sich Irland in den neunziger Jahren, als Ökonomen erstaunt auf den Boom im einstigen Armenhaus Europas blickten. Reihenweise investierten ausländische Konzerne auf der Insel, eröffneten Fabriken und Auslands-Zweigstellen. Befeuert von Exporten wuchs die Wirtschaft im Rekordtempo. Unternehmen aus aller Welt investierten im guten Glauben, auf gut ausgebildete, englisch sprechende Mitarbeiter zu treffen. Zudem lockten die niedrigen Gewinnsteuern von nur 12,5 Prozent. Doch im Jahr 2008 platzte die Immobilienblase. Die Hauswerte halbierten sich. Die Hausbesitzer konnten ihre Hypotheken nicht mehr bedienen. Banken gerieten ins Trudeln und mussten mit Milliarden vom Staat gerettet werden. Das Haushaltsdefizit betrug 2010 fast ein Drittel der Wirtschaftsleistung. Aus dem Keltischen Tiger war ein Bettvorleger geworden, der wie Griechenland, Zypern, Spanien und Portugal Schutz unter dem Euro-Rettungsschirm suchte.

Warum keltisch? Circa 500 v. Chr. erschien in Irland ein völlig unbekannter Volksstamm, die Kelten. Ihre Streitbarkeit verschonte Irland zwar vor einer sonst überall in Europa bekannten Invasion der Römer, führte aber zu einer Zersplitterung in über hundert kleine Königreiche. Über allem stand wiederum der Hochkönig (siehe Hill of Tara) als oberster Heerführer. Das heute noch in verschiedenen Landesteilen gesprochene Gälisch ist eines der letzten Übrigbleibsel der keltischen Sprachfamilie.

In Navan wurde der Begründer der international anerkannten Windstärke-Skala geboren: Admiral Sir Francis Beaufort, 1774 bis 1857. Segler und Windsurfer arbeiten noch heute mit diesem Messwert.

2. Tag

Abfahrt 8.15 Uhr. Die ersten Namen unserer Mitreisenden haben wir schon auswendig gelernt. Und wenigstens drei kennen wir doch schon von der Kalabrien-Reise. Eva begrüßt uns mit ihrem üblichen Spruch oder Zitat des Tages. Sorry, ich habe sie mir weder gemerkt, noch aufgeschrieben. Aber es sind immer schöne Worte, positive Gedanken und die Aussicht auf einen wundervollen Tag. Der Himmel ist bedeckt, aber es regnet nicht. Im Fernsehen haben sie 20° avisiert. Unser „Driver-Guide" Ecki fährt uns zur ersten Station.

Mullagh (sprich Mullach), County Cavan

Die kleine Gemeinde gilt als Geburtsort des

heiligen Kilian, Schutzpatron der Würzburger. Sein Geburtshaus habe um 640 an der Brücke von Longfield an der Straße von Mullagh nach Virginia gestanden, behauptet die Chronik. Er gehörte zur Familie der Gailenga, informiert uns eine Schrifttafel. Die wohlhabende Familie habe die Gegend des östlichen County Cavan und dem County North Meath beherrscht.

Counties

Gute Gelegenheit, um etwas über die geografische-politische Einteilung Irlands zu recherchieren. Irland ist aufgeteilt in sogenannte Counties, übersetzt Grafschaften, vergleichbar mit unseren Regierungsbezirken und/oder Landkreisen. Irland bestand früher aus den vier Provinzen Connacht, Leinster, Munster und Ulster. In manchen Aufzeichnungen nannte man auch noch die Mittelprovinz Meath. Die Provinzen haben heute keine Bedeutung mehr, sind aber im Bewusstsein der Bevölkerung fest verankert. Sechs der neun historischen Grafschaften der Provinz Ulster - Antrim, Armagh, Derry/Londonderry, Down, Fermanagh und Tyron gehören zu Nordirland und somit zum Vereinigten Königreich. Irland teilt sich heute in 32 Counties und sogenannte City Councils auf; davon sechs in Nordirland.

Der kleine Kilian wurde also in eine wohlhabende Familie geboren. Es gibt Hinweise, dass er und seine späteren Gefährten Kolonar und

Totnan ihre religiöse Bildung in Kloster Ross Alithir (heute Rosscarberry) im County Cork, im Süden Irlands, erhielten. Die Christianisierung Irlands hatte bereits im 5. Jahrhundert begonnen und im Vergleich zu anderen Ländern, völlig unblutig. Papst Coelestin entsandte Bischof Palladius nach Irland. Den Boden für die Christianisierung hatte aber schon der herumziehenden Missionsbischof Patrick vorbereitet.

St. Patrick

Irlands Nationalheiliger wurde im heutigen Kilpatrick in Schottland als Sohn eines Diakons geboren, im Alter von 16 Jahren von Piraten entführt und als Sklave nach Irland verkauft, wo er Schafe hüten musste. Nach sechs Jahren gelang ihm die Flucht zurück nach Schottland. Doch eine Vision trieb ihn an, Irland zum christlichen Glauben zu bekehren. Er ließ sich im damaligen Gallien (Raum Frankreich, Belgien) zum Priester ausbilden und kehrte im Jahr 432 nach Irland zurück. Dort gründete er Schulen, Kirchen und Klöstern. Als Patrick um 461 72-jährig starb, war die gesamte Insel christianisiert und zwar unblutig.

St. Patrick's Day

Der 17. März, Patricks Todestag, ist Irlands Nationalfei-

ertag und der sogenannte St. Patrick's Day mit Festivals und Umzügen, Paraden und eine Art Frühlings-Karneval. In Dublin sogar von 16. bis 19. März.

Auch Kilian gründete ein Kloster in Kilmachillogue im County Kerry und machte sich um das Jahr 680 auf Pilgerfahrt zum europäischen Festland. Der Legende nach starb er acht Jahre später in Würzburg, zusammen mit seinen Gefährten, ermordet von Graf Gozbert Frau, weil

Kilian dessen „unkanonische" (nicht den Regeln entsprechend) Ehe mit der Witwe seines Bruders verurteilte.

In Mullagh ist Kilian allgegenwärtig. Zwei Schulen, eine Wohnanlage und die Pfarrkirche, eine Feldsteinkirche mit Grasbücheln in der Regenrinne, tragen seinen Namen. Im Kilian-Zentrum sind seine Stationen in Stichen und Texten dargestellt, die Verbindungen nach Europa, auch dass Karl der Große am Grab Kilians betete. Vor der Kirche steht eine eher moderne Skulptur von Kilian, die erst 1989 aufgestellt wurde. Sie zeigt den jungen Mönch, gekleidet wie ein irischer Missionsmönch, mit langem Umhang und Kapuze, den traditionellen Bücherranzen über der Schulter; in der Hand den kurzen Hirtenstab. Noch bis zu seinem Tod 1990 pflegte Patrick Morris, der letzte Pfarrer von Mullagh, die Beziehungen zur Diözese Würzburg. Als Frankenapostel wird Kilian nicht nur in Würzburg, sondern auch als Schutzpatron der Städte Heilbronn, Kostheim und Bad Heilbrunn verehrt. 2016 pilgerten 60 Mullagh-Bürger nach Würzburg und wurden dort wie hohe Gäste empfangen.

Die beruhigende grüne irische Landschaft

Auf schmaler Straße fahren wir weiter in Richtung Kells. Die Fahrt durch die Dörfer ähnelt dem Besuch eines Landschaftsparks: frisch gemähte Rasen, immer wieder Schäfchenherden, sorgsam geschichtete Steinmäuerchen, Fuchsienhecken, gepflegte Vorgärten, stilvolle Hausportale und dazwischen hellbraun gefleckte Kühe. Strom- und Telefonkabel freischwebend an Masten wie in den USA. Ist das die Heimat von Kerry-Gold? Kerry liegt ja eigentlich im Süden Irlands. Aber so viel Butter und Milcherzeugnisse für ganz Europa können ja nicht aus einem einzigen County stammen.

Tatsächlich sammeln sogenannte Milchtanker alle paar Tage die Milch von Irlands Höfen ein. Produziert wird die Butter zwar in Irland, aber für Deutschland in Duisburg verpackt. Aha.

Kells, County Meath

Das dem Kloster zugeschriebene „Book of Kells" soll im 9. Jahrhundert eigentlich im schottischen Kloster von Iona von besonders kunstfertigen Mönchen geschrieben und ausgemalt worden sein. Nach Kells sei es erst gekommen, als man das Werk vor den Plünderungszügen der Wikinger sicherer verwahren wollte. Die kostbar ausgeschmückte Handschrift der vier Evangelien wird heute im Trinitiy-Colleg in Dublin aufbewahrt. Ein Fasimile liegt in der katholischen Kirche von Kells.

Kells Abbey, eine der ältesten Kirchen Irlands, wurde erstmals 554 von Columba von Iona gegründet, verlassen, zerstört und im 9. Jahrhundert erneut gegründet und von den Normannen mit starken Befestigungsanlagen gesichert. Davon ist nichts erhalten. Von der ehemaligen Klosteranlage existiert nur noch ein 26 Meter hoher imposanter Rundturm. Rundtürme wurden vom neunten bis ins zwölfte Jahrhundert überwiegend in Klöstern erbaut. Sie halfen hauptsächlich, einfallende Wikinger früh zu entdecken und boten sicheren Unterschlupf. Der Eingang befand sich hier in zwei Meter Höhe. An anderen Türmen sind es sogar bis zu vier Meter. Im Inneren führen Holzleitern auf die einzelnen Etagen. Es gibt noch an die 100 dieser klösterlichen Rundtürme in Irland. Man sieht sie wirklich an vielen Stellen.

Hochkreuze

Ecki erklärt uns die vier Hochkreuze aus dem 9. und 10. Jahrhundert. Die schlüsselförmigen Monumente aus Sandstein waren nie Grabkreuze, sondern Statussymbole der Klöster. Weil damals die wenigsten Menschen lesen und schreiben konnten, wurden Bibelstellen des alten und neuen Testaments bildlich auf ihnen dargestellt. Auf dem „Cross of Patrick & Columba" in der Nähe des Rundturms kann man noch schwach „St. Patrick" lesen. Einige Hochkreuze stehen noch an ehemaligen Klöstern. Kleinere Varianten dieser keltischen Zeitzeugen sahen wir auf der Insel Terschelling im niederländischen Wattenmeer. An der Nordseite der Kirchhofmauer steht das sogenannte Gebetshaus des Heiligen Columba. Es wurde erst im 9. Jahrhundert, also lange nach dem Tod des Heiligen, erbaut.

Laughcrew

Unser nächster Stop wird ein Ausflug in die Jungsteinzeit. Dazu müssen wir zu Fuß einen ziemlich hohen Grashügel erklimmen, auf dem sich der Ganggrab-Friedhof Laughcrew befindet. Wie Ecki erzählt, bilden die knapp 30 Gräber den wohl ältesten Friedhof der Welt, noch älter als die von der UNESCO geschütz-

te, touristisch stark frequentierte Anlage Newgrange, nördlich von Dublin bei Slane. Auch die ist schon 5.000 Jahre alt und damit älter als Stonehenge und die Pyramiden.

Ganggräber bestehen aus einem von Hinkelsteinen gesicherten Gang, der zu der eigentlichen Bestattungskammer führt. Gänge und Kammern wurden durch aufrecht stehende und darauf liegend verkantete Steine konstruiert. Das Ganze hält ohne Mörtel, allein durch die Gesetze der Schwerkraft. Darüber wurden Erdhügel geschichtet. Der Einstieg ist unbeschreiblich eng. Mit einer Taschenlampe  erspähen wir Sonnensymbole, die den Bestatteten den Weg ins Jenseits weisen sollten. Noch etwa 250 solcher „Passage Tombs" genannten Begräbnishügel sind in Irland zu finden. Die meisten auf einer Linie zwischen Sligo und der Mündung des Flusses Boyne.

Unser Bus überfordert die Snack-Bar unterhalb des Megalith-Centers. Ich stehe zehn Minuten zusammen mit anderen Gästen am Tresen, ohne dass sich eine der drei Damen auch nur mit einem Blick um uns kümmern. Ich entscheide, gar nichts zu ordern. Auf der Speisekarte steht, dass man Salat nach eigenen Wünschen selbst zusammenstellen könne, aber wie, wenn man dermaßen ignoriert wird? Wir haben noch zwei Äpfel. Ecki fährt uns weiter zum nächsten Stop.

Fore Abbey

Für Fußgänger existiert ein drei Kilometer langer, von weißen Flechten überwucherter Pilgerweg zum Kloster Fore. „Fore" ist die anglisierte Form des irischen Namens Fobhar, was so viel wie „die Stadt der Wasserquellen" bedeutet. Gegründet etwa 630 von St. Feichin(auch Fechin genannt), sollen hier um 665 wenigstens 300 Benediktiner-Mönche gelebt ha-

ben. Obwohl die Abtei mehrfach abbrannte, blieben große Teile ihrer Grundmauern, Fensterbögen und Treppen fragmentartig erhalten. Noch immer erhebt sich die Abbey fast bedrohlich wie eine dunkle trutzige Festung in einem Tal zwischen den Hügeln von Ben und Houndslow, wie man sagt, auf einem Moor und versinkt trotzdem nicht. Man erzählt sich von den sieben Wundern von Fore, unter anderem, dass hier Wasser bergauf fließe, dass es einen Baum gebe, der nicht brenne, dass das Wasser im Heiligen Brunnen von St. Fechin beim Erhitzen nicht koche.

Ecki zeigt uns einen Akazien-Baum, an dem sich viele bunte Zettel befinden. Das sei ein Wunschbaum. Daran festgebundene Wünsche und Bittbriefe würden in Erfüllung gehen. Wir sahen ähnliches auf Zypern. Das sehe ich als Chance, die mir vor über 30 Jahren in Irland eingefangene Zeckeninfektion Borreliose zu entsorgen. Bernhard spendiert mir  ein oranges Brillen-Putztuch, auf das ich „Borreliose" schreibe und es an einen Zweig binde. „So, da habt ihr sie wieder" kommentiere ich meine Hinterlassenschaft. Hoffentlich für immer. Der nächste Höhepunkt ist

Trim Castle, County Meath

Die mächtige Normannenburg mit einem zwanzigseitigen Turm am Südufer des Boyne River ist mit 1,2 Hektar die größte Burganlage Irlands. Sie ist erst seit 2000 öffentlich zugänglich. Ursprünglich stand hier im 5. Jahrhundert ein von St. Patrick gegründetes Kloster. Auf

dessen Ruinen baute Hugh de Lacy 1172 eine noch kleine Burg. Sie wechselte mehrfach die Besitzer und erlangte ihre heutige Größe erst im 14. Jahrhundert. Seit dem hatte sie viele Funktionen; sie war Festung, Wohnhaus, Gefängnis und auch Filmkulisse für „Braveheart" mit Mel Gibson.

Die Herrschaft der Anglonormannen begann in der Mitte des 12. Jahrhunderts, als der König von Leinster die englisch-normannischen Truppen unter Führung des Abenteurers Strongbow zu Hilfe rief. Von da an eroberten die Normannen nach und nach große Teile Irlands und lösten die keltische Führungs-

schicht ab. Es entstanden mächtige Schutzhäuser und Burganlagen, um Städte zu schützen, so auch Trim Castle. Doch der Einfluss der Normannen verfiel im Laufe der nächsten 100 Jahre, auch weil England die Hand auf Irland legte. Bald verboten neue Gesetze den Normannen den Gebrauch der irischen Sprache und auch eine Heirat mit Iren. Sie wurden regelrecht ausgegrenzt und vergrätzt.

Zu Beginn des 16. Jahrhunderts wuchs das Interesse der englischen Krone an Irland beträchtlich. Die Entdeckung Amerikas und die Konfrontation mit Spanien rückte Irland in eine wichtige strategische Position. Der Bruch des englischen Königs Heinrich VIII. mit der Katholischen Kirche, die Unterdrückung der Katholiken und die Ansiedlung englischer Bauern auf den fruchtbaren irischen Böden, sind frühgeschichtliche Mosaiksteine, die noch heute in den Köpfen der Iren spuken.

Irische Küche – na ja

Zum Abendessen im Newgrange wird als Vorspeise eine Lachspastete mit Brown Bread gereicht. Lecker. Zwei Hauptgänge gibt es zur Auswahl. Da wir grundsätzlich nach der Hälfte tauschen, ordern wir beides: Irish Stew, ziemlich geschmacklos, schlechtes Fleisch. Wir verdrehen die Augen und denken an unser leckeres Stew-Rezept zuhause mit Thymian, Kümmel, Sellerie, Möhren und nicht matschig verkochtem Weißkohl. Auch mit Salz ist nichts zu retten. Womöglich mit Maggi? Das schmeckt zumindest synthetisch nach Liebstöckel. Der gebackene Kabeljau (Cod) ist hochdunkel frittiert und furztrocken. Dachten wir etwas, wir seien in einem Feinschmeckerland? Die Gemüseplätzchen gab es gestern schon. Kartoffeln und Remouladensoße reißen es auch nicht heraus.

Unser Dreibett-Zimmer mit Jugendstilmöbeln ist sehr gemütlich. Wir freuen uns über die gemeinsame Zudecke. Die Abzugsdüse im Badezimmer läuft leider sehr lange nach dem Lichtlöschen noch nach. Vielleicht übertönt sie eventuelle Autogeräusche von der Straße?

3. Tag

Es hat nachts geregnet. Alle im Bus sind guten Mutes. Das Frühstück hat mich für die bisherigen kulinarischen Ergüsse getröstet: Blackpudding (gebratene Blutwurst), Whitepudding (gebratene Leberwurst), Kartoffelbrot, Sodabrot, Würstchen, gegrillte Tomaten, Eier. Damit lässt es sich einen Tag durchhalten, was auch immer kulinarisch auf uns zukommen sollte oder auch nicht. Wir fahren auf der N51 über Mullingar in Richtung Tullamore, während uns Ecki wieder aus seinem großen Wissen über Irland, Land, Leute und Schicksale berichtet.

Noch in den 70er Jahren sei man hier zu 70 Prozent katholisch gewesen und 10 Prozent alles andere. Dieser Prozentsatz habe sich gehörig verändert. Auch wenn man keine Zahlen habe – die Iren zahlen keine Kirchensteuer - verteile sich den Anteil zwischen Protestanten und Katholiken heute vermutlich auf 65 und 35 Prozent. Protestanten bilden heute in Irland die größte Gruppe; nur etwa zwei Prozent gehören zur Anglikanischen Kirche. Katholiken seien vermutlich schon unter 45 Prozent gerutscht, während die Zahlen der Andersgläubigen steigen.

Die Religionsverteilung in Nordirland und Irland sei völlig unegal. Siehe auch Trim Castle. Angefangen habe der Streit mit Heinrich XIII. Er war sauer, dass der Papst seine kinderlose Ehe nicht annullieren wollte; so gründete er kurzerhand die Anglikanische Kirche und sich selbst als Oberhaupt. Sein Zorn war durchgreifend. Katholische Kirchen wurden zu Herrenhäusern umgebaut oder deren Steine für andere Bauten abgerissen. Weil nun aber auch die Epoche der Weltentdeckung über die Meere anbrach und Heinrich mithalten wollte, füllte er seine Kriegskassen mit dem Verkauf von Kirchen und ihrem Inventar.

1588 wollte Spanien England angreifen. Sie schickten ihre Armada um England und Schottland herum nach Irland. Den dort bereits wirkenden Widerstand gegen England wollten sie unterstützen, um die Engländer unter ihre Kontrolle zu bekommen. Aber die Armada sank in Seestürmen; Reste landeten im heutigen Belgien. Die Überlebenden wurden massakriert. Die Engländer schlugen den Aufstand der Iren und die Invasion der Spanier nieder.

Umpflanzung von Menschen

Der neue Plan Heinrich VIII. zielte auf eine Neuansiedlung von Briten in Irland, genannt „Plantation von Ulster", also wortwörtlich eine Neuanpflanzung von riesigen Mengen englischer, schottischer und wallisischer katholischer Bürger, vor allem in den Counties Offaly und Laois. Die Einheimischen wurden enteignet und vertrieben und ihr Land überwiegend an königstreue Offiziere und Siedler verteilt. Und so ging das weiter. Auch unter Königin Elisabeth I. (1558 bis 1603) fanden Plantations statt, so auch im County Munster im Süden Irlands und immer wieder und vor allem im frühen 17. Jahrhundert in der historischen Provinz Ulster im Norden Irlands. Jene Plantation schien die erfolgreichste. Diese Verteilung des religiösen Unfriedens wird – nach über 400 Jahren - noch immer als eine der Hauptursachen für den heutigen Nordirland-Konflikt gesehen.

In den Köpfen der Katholiken spukt noch immer das Karma, man habe sie in die schlechteren Landesteile vertrieben und diskriminiert und die Protestanten seien besser gestellt. Diese Vermischung an wirtschaftlichen, sozialen und religiöse Ebenen folgen heute keiner Logik mehr und keinem Verstand, sondern werden schicksalshaft mit den Genen weitergegeben.

Tullamore

Uih – jetzt geht es also zur Whiskey-Verkostung ins Tullamore Dew Heritage Center. Aus früheren Zeiten hatten wir von unserem Aufenthalt vor Jahrzehnten nur den Bushmills in Erinnerung. Was wir bisher nicht wussten, ist der offenkundige Unterschied zwischen den verschiedenen Whiskey-Arten: Burbon wird nur einmal gebrannt, Skotch zwei Mal und Irischer drei Mal. Speziell der Tullamore Dew sei ein Blend aus drei verschiedenen Whiskeys: Pot Still Whiskey aus mindestens 30 Prozent Gerstenmalz, Gran Whiskey aus Mais mit ein wenig Gerstenmalz und Malt Whiskey aus 100 Prozent Gerstenmalz. Der Masterblender stellt die Mischungen her, was natürlich ein Geheimrezept sei.

Ein gewisser Michael Molloy gründete die Destillerie 1829 hier im County Offaly. Nach seinem Tod übernahm Neffe Bernhard Daly die Brennerei und benannte sie um in B. Daly Distillery. Das D.E.W. als Marke des Tullamore-Whiskeys fügte Daniel Edmond Williams mit seinen Initialen als Marke hinzu. Erster Werbeslogan „Give every man his Dew" (Gib jedem Mann seinen Dew).

Man zeigt uns die verschiedenen Brennvorgänge und die Fässer, in denen der Whiskey reift. Drei Jahre Reifung sind in Irland und Schottland Gesetz. Die Reifung erfolgt in amerikanischen Bourbon-Fässern, einige auch in spanischen oder amerikanischen Sherry-Fässern, so ergäben sich die unterschiedlichen Farb- und

Geschmacksnoten. Älterer Whiskey ist teurer, aber nicht, weil er besser wäre, sondern weil sich die Menge durch die Reifung verringere. Pro Jahr, so erklärt man uns, gingen zwei Prozent durch Verdunstung verloren. Bei indischem Whiskey seien es wegen der höheren Temperaturen sogar zehn bis zwölf Prozent.

So verlockend es ist, hier gleich eine Flasche mitzunehmen, aber uns ist die Schlepperei zu viel. Außerdem ist es zu verführerisch, wenn man die Flasche schon mal im Zimmer stehen hat. Daher begnügen wir uns mit einigen Tafeln Schokolade, die mit Tullamore Dew parfümiert ist und Bernhard kauft sich eine hübsche karierte Schlägermütze. Den Whiskey für Zuhause können wir immer noch im Duty Free auf dem Flughafen kaufen. Da ist zwar voraussichtlich die Auswahl der Sorten nicht so breit, aber wir werden nur wegen dieses Betriebsbesichtigung sicher nicht zu Whiskey-Freaks werden.

Hill of Uisneach

Erst später gelesen: Etwa Luftlinie 30 Kilometer nordöstlich befindet sich der „Hill of Uisneach", nach dem Glauben der Iren, auch so ein heidnischer Hügel wie Tara. Der 182 Meter hoch gelegene ehemalige alte Versammlungsort weise noch immer scheinbar wirr verlaufende Erdwälle und Mauern auf und sei ein druidischer Feuerkultort und Sitz von Königen gewesen. Nach der Legende war Uisneach der Mittelpunkt der spirituellen Macht Irlands. Vor allem der oberste Druide Mide ging in die Geschichte ein, weil er seinen Kritikern die Zunge herausschneiden ließ. Und da war da noch die Göttin Eire, die auf dem Hill begraben liegen soll. Sie habe den Ur-Iren ihren Segen für die Eroberung der Insel gegeben, unter der Bedingung, dass Irland fortan und für immerdar ihren Namen trage. So wie ich Ecki kenne, werden wir dort auf unserer nächsten Reise landen.

Von Tullamore aus bewegen wir uns stramm westlich Richtung Galway, im Süden des gleichnamigen Countys, nach

Athenry

Die am besten erhaltene mittelalterliche Stadt in Irland, am Fluss Clareen gelegen, hat knapp 5.000 Einwohner, wurde im 13. Jahrhundert begründet und besitzt noch über 70 Prozent der alten Stadtmauer mit fünf Verteidigungstürmen. Der Straßenplan stammt aus dem 16. Jahrhundert wurde bis heute nie mehr verändert. Normannen, die Stuarts, eine bedeutende schottische Herrscherdynastie, und die Tudors,

ein walisisches Geschlecht, herrschten hier nacheinander.

Die Qualität und die Menge der überlebten Architektur in Athenry übertrifft heute andere mittelalterliche Städte wie Galway und Loughrea, alle in der historischen Provinz Connacht, die von viel berühmteren und machtvolleren Herren, zum Beispiel von Richard de Burgh erbaut wurden. De Burgh (1194 bis 1243) gehörte zu den führenden Baronen in Irland und gilt als der Eroberer von Connacht.

To hell or to Connacht - so help me god

Connacht ist die nordwestliche der historischen Provinzen von Irland und umfasst heute die Counties Galway, Mayo, Sligo, Leitrim und Roscommon. Die größte Stadt ist Galway. Connacht versprach weder damals noch heute Zuckerlecken. Im 17. Jahrhundert hieß es noch „To hell or to Connacht" – Zur Hölle oder nach Connacht, das war die Alternative für Iren, die von Cromwells Truppen an die schroffe Atlantikküste vertrieben wurden. Mayo, der ärmste County jener Provinz wird noch heute mit dem Beinamen „Mayo, so help me god" ausgesprochen.

Von hier stammt auch der Begriff Boykott. Er gehe, lesen wir in einem alten HB-Bildatlas, auf Captain Charles Cunningham Boycott zurück, ein britischer Gutsverwalter im irischen County Mayo, der im 19.

Jahrhundert die Ernte der sich weigernden Pächter durch protestantische Arbeitslose aus Ulster einbringen ließ. Darauf kündigten alle Pächter, Hausangestellten, Landarbeiter und sogar die Postbeschäftigten in einer Art Generalstreik ihre Mitarbeit auf. Als eine Zeitung in Dublin über das „boycotting" schrieb, war ein Begriff für organisierte Weigerung für alle Zeiten gefunden. 1947 verkörperte Stewart Granger den gescheiterten Captain in einem gleichnamigen Film.

Über der Stadt thront eine restaurierte anglo-normannische Burg, das Athenry Castle, das wir noch besuchen werden. Als Erstes gehen wir zur Pfarrkirche und zu den Ruinen ei-nes dominikanischen Priorats, ein von einem Prior geleiteten Konvent.

Das alte Marktkreuz aus dem späten 15. Jahrhundert, ein wirkliches Unikat, steht noch immer am ursprünglichen Platz, wo einst große Waren, Vieh und Edelmetalle angeboten und verkauft wurden. Erstmals wurde Sir William Parson im Jahr 1629 die Erlaubnis erteilt, hier sonntags einen regelmäßigen Markt abzuhalten.

Trotzdem erging es der Stadt auf Grund von stetigen Plünderungen zu jenen Zeiten nicht rosig, Der Aufstieg gelang erst 1652, als das Dominikaner-Priorat als Universität wiederbelebt wurde. Und auch die Eisenbahn, die Athenry im 19. Jahrhundert eine besondere Wichtigkeit als Knotenpunkt zwischen Dublin, Limerick und Cork zuwies, sorgte für Wiederbelebung und Bedeutung.

In der Kirche aus dem 12. Jahrhundert wartet ein besonderes Vergnügen auf uns. Das hier untergebrachte Athenry Arts & Heritage Centre (Zentrum für Kunst- und Kulturerbe) wartet mit einem Verkleidungsfundus für uns auf. Innerhalb weniger Minuten verwandeln wir uns alle zu Burgfräuleins, König, Ritter, Knappen,

in einen Scharfrichter und einen Bogenschützen und spielen auf einer Bühne mit Königsthron eine vorgegebene historische Geschichte nach.

Athenry Castle war der Hauptsitz der de Berminhams, eine mächtige anglo-normannische Familie, die im späten 13. und frühen 14. Jahrhundert durch Landwirtschaft und Handel bedeutenden Reichtum und Prestige erlangte. 1597 überfielen die O'Donnells, Abkömmlinge der Könige von Ulster und Meath, das Schloss, worauf die Ruine fast 400 Jahre in Dornröschen-Schlaf versank. Erst in den letzten Jahren wurde sie mit Ehrenamtlichen so hergerichtet, dass der Verfall gestoppt ist. Wir klettern die Eisentreppen hoch und bewundern die komplett ohne Nägel rekonstruierte Eichendecke. Ja, man kann weit sehen und den Ort überblicken.

Alle entscheidenden Elemente einer normannischen Stadt sind erkennbar: Marktplatz, Festung, Dominikanerkloster, Kirche, Stadtmauer. Dies war einer der größten Landbesitze der Normannen und dabei nicht einmal eine Hafenstadt. Vergeblich versuchten 1316 drei Familien die Normannen zu vertreiben. Die Aufständischen wurden geköpft und ihre Köpfe zur Schau aufgespießt. Danach bemühte man sich um das Stadtrecht. Um 1650 tauchte Oliver Cromwell auf, ließ die Häuser plündern, die Gräber ausrauben und die Leute verjagen. Irische Geschichten klingen alle irgendwie dramatisch. Oder liegt es nur an Eckis Erzählweise?

Cromwell

Oliver Cromwell (1599 bis 1658), war ein englischer Staatsmann, Heerführer und allerdings auch ein radikaler Puritaner, streng protestantisch-calvinistisch geprägt. Im englischen Bürgerkrieg 1642 bis 1649 organisierte er eine Parlamentsarmee und tat sich als draufgängerischer Heerführer hervor. Er betrieb 1649 die Hinrichtung des Königs, weil sich dieser gegen die puritanische Glaubensfreiheit wandte. Danach übernahm Cromwell das Ruder; er bekämpfte 1650/51 die Schotten, löste das Parlament auf, ernannte sich zum Lord Protector (Schutzherrn) und führte das Land in einer rigoros puritanisch ausgelegten Gewaltherrschaft bis zu seinem Tod 1658. Ihm werden allerdings auch große Verdienste für die Wegbereitung Englands zur See- und Handelsmacht zugeschrieben.

Dromoland

Wir fahren Richtung Limerick. Die nächsten vier Übernachtungen bleiben wir im gleichen Hotel. Schön, wenn man nicht täglich packen muss. Unser Hotel „The Inn at Dromoland" in Newmarket on Fergus liegt unweit einer seeartigen Ausbuchtung des Rivers Shannon und ist „ein großer Schuppen im Grünen". „Dromoland" klingt wie Disneyland und ist ein modernes lang gestrecktes Hotel. Doch der Name kommt von Dromoland Castl, ein Landhaus aus dem Jahr 1835, einst Zuhause von acht Generationen der Familie O'Briene und heute ein Sterne-Restaurant.

Unser Dromoland sieht ein wenig aus wie ein Golfhotel. Das verspricht auf den ersten Blick Luxus. Eine Hochzeitsgesellschaft wirbelt in Abendkleidung um uns herum, während wir unsere Zimmer suchen. Nummer 260 klingt weit weg. Und tatsächlich dehnt sich der Weg unendlich, bis wir begreifen, dass wir nur einen Abzweig versäumt haben. Es ist ein Fünf-Bett-Zimmer, ein Doppelbett und drei Einzelbetten. Müssen wir noch jemanden aufnehmen?

Einen Schrank gibt es nicht, nur eine Stange mit Kleiderbügeln, darüber eine Ablage so hoch, dass wir auf einen Stuhl steigen müssen. Wir finden eine Haarklemme und ein Stück Schnur von den Vorgästen. Fazit: ein Zimmer voller Betten und mit Kissen vollgepackt.

Ein trauriger Blick aus dem Fenster fällt auf eine Klimaanlage und undefinierbare Verbauten, die nur einen schmalen Streifen zu einigen Autos zulassen. Die Fensterscheiben haben seit Jahren keinen Lappen gesehen.

4. Tag

Heute haben wir einen anderen Busfahrer, weil Ecki eine Ruhepause einhalten muss. Sean – sprich Schoan, wie Sean Connery - wird uns nach Doolin fahren, von wo wir auf die Aran-Insel Inisheer übersetzen wollen. Auf dem Weg dorthin fahren wir durch die grauweiße Karstlandschaft Burren. Burren bedeutet „Großer Felsen" 600 Millionen Jahre altes Berggestein, das von den Gletschern Tausende von Kilometern von südlich des Äquators hierher geschrubbt wurde. Hier findet man Pflanzen alpiner, mediterraner und arktischer Art, Ringwälle und Dolmen (große Steintische) erinnern an die Frühgeschichte, als der Burren noch bewohnt war. Im Herbst und Winter ein unwirtlicher Landstrich, dann wieder überquellende Blumenlandschaft mit samtweichen Moosen, Enzian, Orchideen, Venushaar-Farn. Zisterzienser, die sich im 12. Jahrhundert hier niederließen, nannten ihre Heimat „Santa Maria de Petra Fertilis", fruchtbarer Felsen. Selbst Steinblöcke stecken voller Leben. Ihre Ritzen und Sprünge sind winzige Treibhäuser. Es gibt keinen Bach hier. Alles fließt unterirdisch ins Meer. Angeblich befindet sich unter dem Kalksteinplateau eines der größten europäischen Höhlenlabyrinthe. Die Landschaft löst sich praktisch auf. Man sieht nicht viel. Aber man fühlt, was man weiß.

Eigentlich notiere ich viel zu wenig über diesen Ausflug, weil mich der Fahrer Sean beängstigt. Er ist ein kleiner Mann mit Kugelbauch und dunkelmeliertem Haarkranz. Sean macht mich nervös weil er den Bus fast ausnahmslos allein mit dem rechten Arm lenkt, auch bei Ein- und Ausparkmanövern, auch bei schwierigem Begegnungsverkehr. Doch damit nicht genug: Mit dem „Lenkarm" erwidert er auch noch Grüße von entgegen kommenden Busfahrern. Er juckt sich damit auch die Nase oder spielt mit den Fingern am Lenkrad herum. Während dieser Zeit liegt sein linker Arm teilnahmslos und nahezu unbeweglich auf seinem linken Oberschenkel. Ich frage Ecki danach. Der meint, Sean könne das schon; er habe wohl einen Unfall gehabt, weshalb er den linken Arm wenig oder gar nicht benützt. Das tröstet mich nicht.

Lisdoonvarna (Hügel der Feen)

Nein, da waren wir nicht. Aber auf der Straße nach Doolin müssen wir hier durchgekommen sein. In dem 739-Seelen-Dorf war Mitte August ja auch nichts los. Ganz anders sieht es hier Ende August und den ganzen September aus. Dann findet hier das Matchmaking-Festival statt. Initiator ist ein Mann namens Willie Daly; er sei der letzte Heiratsvermittler, der einsame Herzen nach der irischen Tradition des „Matchmaking" zusammen bringt. Etwa 3000 Paare hätte er schon zusammen gebracht, erzählt er jüngst einer Reporterin, und zwar ohne Computer, sondern ausschließlich mit seiner speziellen Gabe, zu fühlen, wer zusammen passt und wer nicht. Naja.

Die Tradition, parallel zum Erntedankfest mit

Bauern- und Viehmarkt einen Heiratsmarkt zu veranstalten, übernahm Daly von seinem Großvater. Schon Mitte des 19. Jahrhundert war dies der einzige Anlass, zu dem Bauern aus entlegenen Landesteilen zusammenkamen und damit die einzige Chance, auf Brautschau zu gehen. Daly: „Deutsche und amerikanische Frauen mögen irische Männer. Aber am besten harmonieren irische Frauen mit deutschen Männern".

Heute sei das Festival vor allem bei alleinstehenden Amerikanerinnen und Engländerinnen beliebt, inzwischen auch immer häufiger bei geschiedenen und verwitweten Personen. Es gibt aber keine Betreuung wie zum Beispiel Internet- oder Speed-Dating oder gar eine App. Hier lernt man sich noch ganz persönlich kennen. Anreise über Flughafen Shannon; dann mit Mietwagen oder Bus über Ennis nach Lisdoornvarna. Infos: **www.matchmakerirland.com**, **www.williedaly.com**. Lisdoonvarna verfügt über 15 Hotels und sei, mit radioaktivem Thermalwasser (Schwefel, Magnesium, Eisen, Jod) das einzige Heilbad Irlands.

Die Aran-Inseln

Sie sind drei Überbleibsel der letzten Eiszeit, eine Inselgruppe vor der Westküste Irlands. Sie heißen anglisiert Inishmore, Inishmaan und Inisheer und gehören zum County Galway. Es gibt noch zwei weitere Aran-Inseln im County Donegal und in Schottland.

Aran Sweater

Ein typisches Mitbringsel ist der Aran Sweater, ein grobgestrickter Pullover, der früher nur mit der Hand und in unterschiedlichen Mustern gestrickt und heute maschinell gefertigt wird. Man sagt, die Fischerfrauen hätten ihre ertrunkenen Männer am Strickmuster wiedererkannt. Hier auf den Inseln kann man noch echte Handarbeit erwerben.

Unser Schiffchen startet um 10.30 Uhr und steuert direkt nach Inisheer. Sie ist mit etwa 10 Quadratkilometern die kleinste und östlichste der drei Schwestern, auch am nächsten, nur acht Kilometer, vom Festland entfernt. Wir

ergattern einen Platz auf dem Oberdeck direkt am Heck mit gutem Blick auf die Klippen von Moher, die teils über 200 Meter steil ins Meer hinabstürzen. In den einschlägigen Reiseführern stehen diese „Cliffs of moher" immer im Vordergrund. Sie fehlen auch auf keiner Irland-Reise, selbst wenn man dafür quer durchs Land fahren müsste. 1983, als wir in Irland waren, wussten wir zwar von den Klippen, aber damals wurde noch nicht so ein Hype darum gemacht wie in den letzten zehn Jahren.

Um uns rumort die See. Heftig reiten wir auf den Wellen. Einige kreischen bei jeder starken Bewegung. Angeblich, sagt uns jemand, säßen wir beide „very british" und unbeeindruckt in unseren Plastikschalensitzen; ich wieder schreibenderweise und Bernhard mit den Händen in der Jackentasche, weil er seine Handschuhe zuhause nicht gefunden hatte.

Klo-Gespräch mit Iris. Sie war mal Krankenhauspastorin. Passt gar nicht. Oder doch? Lautes Kichern. Sie trägt bunte hochhackige Stiefel. Sie habe im letzten Moment doch noch warme Schuhe eingepackt, nachdem sie die ersten Tage barfuß mit Flip-Flaps auf Wanderschaft ging. Ihren grauen Lockenwuschel hat sie meistens zum Pferdeschwanz gezwirbelt. Immer ein freches lustiges Lachen im Gesicht.

Kettenraucherin. Eine Stimme wie eine Bardame, um es vornehm auszudrücken, aber sehr sympathisch.

Nach 45 Minuten Überfahrt landen wir am Hafen. Die meisten der etwa 250 Bewohner leben im nördlichen Teil der Insel, also da, wo unser Schiffchen ankommt. Es wird schon erwartet. Wenigstens zehn Pferdekutschen stehen parat, um die ankommenden Gäste über das Inselchen zu kutschieren und ein paar Fahrradvermieter animieren zu Radeln. Man wird ununterbrochen angesprochen, ob man mitfahren will. Eigentlich eine ideale Fahrradinsel. Aber einerseits ist eine komplette Inselumrundung zu lang. Und andererseits sind nicht alle von uns mobil genug, um im Pulk zu radeln. Also beschränken wir uns auf unsere Füße.

An Strand liegen traditionelle Boote aus einem
Stück, mit Leder bezogen und mit Teer bestri-

chen. Während sich einige von uns mit Pferde-
kutsche auf den Weg machen, marschieren wir
los. Als erstes treffen wir auf die Kirchenruine
Teampall Chaomháin aus dem 10. Jahrhundert,
acht Meter tief in einer Düne versunken. Ein
gotischer Bogen vermittelt, dass sie dem Heiligen Kevin von Glendalough geweiht ist, der
hier im 6. Jahrhundert lebte. Jedes Jahr am 13.

Juli pilgern seine Verehrer zu dem Kirchlein,
das vorher jedes Mal aus dem Treibsand aus-
gebuddelt werden muss.

Wir lesen: Die Vorbilder für irische Mönche
waren Paulus und Antonius; sie zogen ohne
jede Sicherheit in die Wüste und wurden von
einem Raben mit Brot versorgt. 1983 besuchten wir die Insel Skellig Michael, eine Insel der

sogenannten Skelligs südlich der Dingle Bay. Auch hier zogen sich Mönche ohne Rückfahrt-Ticket in die Einsamkeit zurück und versorgten sich selbst.

Auf der vor uns liegenden Anhöhe liegt die mittelalterliche Burg der O'Briens aus dem 14. Jahrhundert; freilich eine Ruine. Aber ihre Lage, umgeben von den Resten eines Ringforts, ist imposant. Von ihr konnten die Burgherren nahezu die gesamte Insel überblicken, auch, wer sich übers Wasser näherte.

Auf der Insel entstand trotz des steinigen Untergrunds durch Sand, Seetang und Erde ein grüner Teppich. Bei rauen Temperaturen zwischen 6 und 18 Grad benötigt man eine warme Jacke. Irischer Humor: Nicht genügend Bäume, um jemanden zu erhängen, zu wenig Erde, um jemand zu verscharren, nur Wasser, um jemanden zu ertränken!

Man nennt die Inseln auch „grüne Flecken, die trotzig der Natur abgerungen wurden, um zu überleben. Beeindruckend sind die ohne Mörtel geschichteten Steinmauern, die alle Wege einrahmen. An einigen Stellen sind sie so gestapelt, dass sie sich als Durchlass für das Vieh schnell öffnen und wieder schließen lassen. Wie viereckige Parzellen begrenzen die Feldsteinmauern das Grünland, das so wichtig für die Kühe ist. Schafe sehen wir nicht. Sie würden die sorgsam gehegte Erdkrume aufwühlen und das Grünland zerstören.

Die Sonne scheint. Einen Pullover kann man aber vertragen. Wir rasten an einem sogenannten Tiefwasser-See, auf dem ein paar Schwäne und eine verbeulte rote Boje Fotomodell spielen. Noch am Festland hatten wir uns einen

Snack eingekauft, den wir hier mit gutem Appetit verzehren. Am anderen Ende soll es einen Leuchtturm geben, der aber nicht besichtigt werden kann. Naja, alle von uns haben schon einmal einen Leuchtturm gesehen. Aber unique ist das Wrack des am 8. März 1960 auf Grund aufgelaufenen Frachters Plassey, der später an den Felsenstrand von Inisheer gespült wurde.

Die Inselbewohner konnten damals sämtliche elf Besatzungsmitglieder des verunglückten Schiffes retten. Die Plassey ist in Irland eine nationale Berühmtheit: Sie wurde im Vorspann der TV-Sitcom "Father Ted" gezeigt, die bis heute Kultstatus genießt. Eine mobile Strandbar offeriert Kaffee, Eis und Snacks.

Sprache

Etwa 250 Menschen leben auf Inisheer, die ihre eigene Sprache, eine Art „Inselkeltisch" sprechen. Die hat nichts mit anderen Sprachfamilien zu tun, sondern besteht aus einer Mischung von Piktisch (römische Bezeichnung für die schottische Sprache), Britonisch (Sprache von Nordengland und Südschottland) und Gälisch, sowie Sprachfetzen, die auch von den französisch sprechenden Normannen und den Wikingern übrig blieben. Angeblich retteten irische Mönche den Erhalt der lateinischen Sprache, weil sie die immer wieder niederschrieben. Die Irische Sprache selbst – das haben wir noch gut in der Erinnerung - war und ist ein ständig sich anpassender Prozess. Mit Schulenglisch kann man zwar sagen, was man will, versteht aber nicht, was man gesagt bekommt.

Entgegen Eckis Ankündigung, es sei auf Inisheer einsam und nur ein karger Beginn mit Tourismus, fühlen wir uns als Wanderer eher als Störenfriede. Ständig wuseln Radler um uns herum. Pferdekutschen zwingen uns zum Ausweichen. Sogar ein Traktor und mehrere Autos treiben uns in die Gräben neben den Wegen. Viertel vor Zwei sollen wir wieder am Schiff sein. Weil wir am Anfang ziemlich getrödelt haben, müssen wir also jetzt die Beine in die Hand nehmen. Ecki verordnet uns sogar Foto-Verbot.

Ich presche voraus, weil sich endlich nach drei Tagen etwas bei mir rührt, was ich bisher vergeblich mit Flohsamenschalen und eingeweichten Zwetschgen versuchte, in Gang zu bringen. Weil ich gut zu Fuß bin, macht mir das Vorauslaufen keine Mühe. Bis zum Hafen sind es nur noch wenige Minuten. Auch die Kutschfahrer sitzen schon auf dem Hafenmäuerchen. Und selbst Iris, die wir irgendwie am versunkenen Kirchlein verloren hatten, ist wieder unter uns und raucht sich eine.

Eva Schneising guckt noch ein wenig skeptisch aus der Wäsche, Die Hinfahrt mit dem Schiff war ihr nicht gut bekommen. Kreislaufkollaps? Jemand von uns flößt ihr zum wiederholten Male Kreislauftropfen ein. Wir klettern erneut auf das Oberdeck. Die See ist jetzt ruhiger als am Vormittag. Überhaupt: Seit Ankunft auf der Insel klärte sich der Himmel zunehmend auf. Nun haben wir Sonne satt, blauen Himmel und ein riesiger Regenbogen kündigt einen weiteren wundervollen Verlauf des Resttages an.

Cliff of Moher

Diese Tour war eigentlich an einem anderen Tag geplant, aber die Fähre nähert sich auf der Rückfahrt den Klippen, die den meisten Irland-Reisenden die Welt bedeuten. Die Wellen schlagen gegen die Klippen und die Gischt klettert die Wände hoch. Ganz oben stehen viele Menschen, die unser Schiffchen fotografieren.

Runter vom Schiff, geht es aber nicht nach Hause, sondern noch einmal hoch zu den Klippen, wo sich ein riesiges Info-Center im Berg befindet. Schrecklich. Was für eine touristische Ausuferung. Auf den Parkplätzen drängeln sich unzählige Autos und 18 Bussen. Sie

müssen sich anmelden, um überhaupt hier parken zu dürfen. Karawanen von Menschen ziehen ihre Bahn auf zwei Wegen rechts und links des Info-Centers auf die Höhen der Klippen. Freilich kann man von hier hinunterschauen auf den schäumenden Atlantik, auf die Aran-Inseln und bei klarer Sicht noch weiter. Irgendwo da draußen liegt Amerika.

Im Center werden verschiedene Filme über die Cliffs aus der Vogelperspektive gezeigt, einer auch in 3D, Und natürlich gibt es Souvenirs über Souvenirs, industriell gestrickte Aran-Pullover, Norweger-Mützen, Wetterjacken, Gummistiefel, Süßes, Snacks, Ansichtskarten, Schnickschnack, Plüschtiere – alles in den Ausmaßen eines mittelgroßen Kaufhauses. Bernhard und ich versuchen mit einem Glas Wein Abstand zu finden. Sorry: Kein Alkohol vor 22.30 Uhr!

Intermezzo

Mit Ecki hatte ich vereinbart, dass wir auf der Heimfahrt an einer Tankstelle halten, um eine Flasche Rotwein für uns zu kaufen will. Er bittet ausdrücklich, ganz zügig auszusteigen, was ich eilig befolge. Ich springe also aus dem Bus und stürzte in den Tank-Supermarkt, ergreife zwei Flaschen Merlot aus Australien. Da stellt sich plötzlich ein Mitreisender aus dem Bus vor mich. Nur aus Scherz sage ich: „Nicht vordrängeln". Da mault er mich an, ich hätte mich schon im Bus vorgedrängelt. Ich resigniere, zahle und laufe zum Bus zurück. Er selbst kommt lange nicht, so dass die anderen schon maulen. Dann kommt er mit drei Flaschen Whiskey. Ecki erklärt ihm, dass ursprünglich nur ich diesen Wunsch angemeldet hätte. Aber er behauptet, er hätte das schon am Morgen gesagt. Außer ihm weiß davon offensichtlich niemand etwas. Nein, ich schreibe hier nicht, wer das war. Mag er sich selbst ertappt fühlen.

5. Tag Native Woodland

„Es gibt in Irland wenig Gartentradition. Man baute hauptsächlich immer Kohl und Kartoffeln an. Das liegt an der brutalen Kolonialgeschichte, die Irland hinter sich hat. Generationen-Wissen ist wenig vorhanden." Mit diesen Ausführungen bereitet uns Ecki auf unser Treffen mit Bob Wilson vor. Mit seinem weißen Schnäuzer ähnelt er ein wenig dem VW-Vorsitzenden Dieter Zetsche, nur nicht so großspurig, sondern mit dem Charme eines

Volontary, eines Ehrenamtlichen. Wir sind in Scariff, am Fuße der Slieve Augthy Mountains, 378 Meter hoch und am Ufer des Lough Derg, der sich in den Shannon entwässert. Ein Schild „Native Woodland" leitet uns in ein scheinbar normales Wäldchen. Aber dies ist ein Projekt, um den Iren, den erwachsenen und den Kindern, ein Stück Natur zu vermitteln.

Bob, Mitbegründer des CELT (Center for Environmental Living & Training) erläutert uns die Aufgaben des Vereins. Seit 2001 bietet er Schulungen und Sensibilisierungsmaßnahmen im Bereich traditioneller und ökologischer Kompetenzen an. Ziel sei es, Einzelpersonen und Gemeinschaften zu einer nachhaltigeren Lebensweise zu ermutigen, indem Fähigkeiten und Wissen vermittelt werden zur Steigerung der persönlichen Kapazität und der Widerstandsfähigkeit der Gemeinschaft. Es gehe dabei um Küche, Garten, Handwerken, Lebensweise, Holzwirtschaft, einfach um alles, was wir neuerdings nachhaltiges Wirtschaften nennen. Dazu führt uns Bob durch eine Art Waldlehrpfad, wie wir es in Deutschland gewohnt sind von Bund Naturschutz und kommunalen Naturschützern.

Für das Projekt „Native Woodland" stiftete ein Waldbesitzer vor zehn Jahren zwei Hektar Fläche, ein Stück Land für den Versuch, darzustellen, wie sich ein Wald entwickelt, wenn ihm die Chance geboten wird und der Mensch nicht eingreift. Ähnlich wie in unseren Nationalparks wird der Wald sich selbst überlassen. Das alles soll einen Lehrcharakter verwirklichen, auf die Logik der Natur zu hören. Andächtig streifen wir entlang alter Eichen, Stechapfelpalmen, Haselsträuchern, Silberbirken, Eschen und wilden Brombeeren. Wer schon einmal in einem Nationalpark war wie zum Beispiel im Bayerischen Wald oder in der Schweiz am Ofenpass, der versteht den Sinn und weiß, dass dies ein zarter, aber wichtiger Anfang ist. Wir verabschieden uns von Bob Wilson und fahren weiter nach

Craggaunowen

Das kleine Dorf, etwa 16 Kilometer östlich von Ennis im County Clare, versucht mit seinem Craggaunowen-Project ebenfalls das Bewusstsein der Bürger für Umwelt, Flora, Fauna und Lebensräume, aber vor allem für die Vorzeit zu stärken. Allerdings ist man hier schon länger dran. So entstand ein Freilichtmuseum nach keltischen Maßstäben. Spannend und ganz anders als in deutschen Regionen. Aber als erstes machen wir eine hübsche kleine Rast in einem kuscheligen Gasthaus in der Anlage. Zu Tee und Kaffee werden „fresh scones" gereicht, das sind superleichte frisch gebackene Rosinenbrötchen aus Rührteig, die man mit gesalzener Butter und Himbeermarmelade isst.

Dann führt uns Geraldine mit charmanten Kommentaren durch die Anlage. Craggaunowen ist ein Versuch, Irlands Vergangenheit lebendig werden zu lassen. Dazu wurden Hütten, Gehöfte, Jagdcamps und andere Behausungen aus prähistorischer und frühchristlicher Zeit rekonstruiert. Die Idee stammt von John Hunt, kunsthistorischer Berater im Auktionshaus Sotheby's und einer der besten Kenner des Mittelalters in Europa. Er kaufte das Land bei Craggaunowen, restaurierte die Burg, errichtete ein prähistorisches Pfahldorf und entwickelte dieses moderne Museum zu einem Gesamt-Komplex. Den übergab er – mit guten Wünschen- dem irischen Volk.

Was sehen wir hier: Die Burg, Craggaunowen Castle, wurde um 1550 von John MacSioda MacNamara als Wohnturm erbaut. Von dieser Art Wohnhaus des Landadels gibt es in Irland angeblich noch 50 Stück. Nach dem Zusammenbruch der alten gälischen Gesellschaftsordnung wurde die Burg im 17. Jahrhundert verlassen und verfiel. Erst im frühen 19. Jahrhundert begann der „ehrenhafte" Tom Steel (genannt „Honest Tom") mit der Renovierung der Burg, die er samt Grundstück 1821 von seinem Onkel geerbt hatte. Tom sei ein Exzentriker gewesen, ist heute bei Wikipedia zu lesen. Unter anderem habe er mit dem Stein, der noch heute rechts vom Haupteingang mit seinen Initialen liegt, das Zentrum Irlands gekennzeichnet. Da Tom viel unterwegs war, zog sich die Renovierung hin, bis John Hunt 1965 Hand anlegte.

Der „Crannog", die Rekonstruktion einer Pfahlsiedlung als künstliche Insel zeigt, wie sie in der Eisenzeit und noch bis ins 17. Jahrhundert bewohnt wurde. Die Kochstellen der Jäger, an denen sie die Beute garten und mit erhitzten Steinen das Wasser zum Kochen brachten, könnten heute noch funktionieren. Das Ringfort, eine Art Dorfumrandung aus Erd- und Steinwällen zum Schutz vor Angreifern und Tieren, diente auch als Ort des dörflichen Get-to-gether.

Mit dem Nachbau des Schiffs „Brendan" wird an den Seefahrer St. Brendan erinnert, der angeblich schon im 6. Jahrhundert nach Amerika gesegelt sei. 1976 baute ein gewisser Tim Severin das Boot mit einem lederbezogenen flexiblen Eschenrumpf nach und begab sich auf

abenteuerliche Reisen über die Aran-Inseln, die Hebriden, Färöer und mit Überwinterung auf Island bis nach Kanada. Vor allem hatte er damit bewiesen, dass die Bauweise mit Holz und Leder geeignet war, auch durch gefährliches Treibeis zu gelangen.

Uns beeindruckt auch das Beispiel, wie die

Ahnen belastbare Wege über Moore und Marschlande bauten, um mit ihren Karren nicht zu versinken. Dazu wurden Birken- und Erlenstämme auf die Oberfläche gelegt und mit Eichenplanken verbunden.

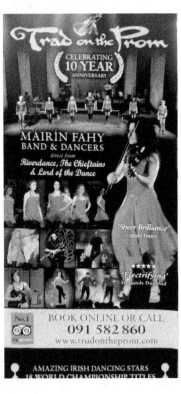

CELEBRATING 10 YEAR ANNIVERSARY

MAIRÍN FAHY BAND & DANCERS
direct from
Riverdance, The Chieftains & Lord of the Dance

'Sheer Brilliance'
IRISH TIMES

★★★★★
'Electrifying'
Hollands Dagblad

No.1 BOOK ONLINE OR CALL
091 582 860
www.tradontheprom.com

AMAZING IRISH DANCING STARS
18 WORLD CHAMPIONSHIP TITLES

Zurück zum Bus müssen wir erst mal Beifall klatschen. Unser Fahrer Sean ist gerade Opa geworden. Ich kann es trotzdem nicht lassen, ihn beim Fahren zu beobachten. Auf alle Fälle sind und bleiben wir angeschnallt.

Trad on the Prom

Am Abend wartet noch ein nicht geplantes, besonderes Vergnügen auf uns: Trad on the Prom, eine Musik- und Tanzshow mit Künstlern von Riverdance, The Chieftains and Lord of the Dance. Dazu fährt uns Ecki ins Leisurelang Theatre nach Galway. Etwa 600 Menschen drängen sich auf engstem Raum. Trotz Beginn um 20.30 Uhr sind erstaunlich viele kleine Kinder dabei und Zuschauer aus aller Herren Länder, unter anderem aus Australien, Kanada, USA, Japan, Südafrika, Österreich. Der Moderator begrüßt alle Gruppen und auch uns – Darmstadt – erwähnt er namentlich. Es wird eine tolle Show mit Life-Musik (Dudelsack, Elektroorgel, Geige, Knopf-Akkordeon, Gitarre, Trommel, Bass) und den berühmten Stepptänzern, wie sie immer wieder von der Bühne springen und auf Podesten zwischen den Zuschauern tanzen.

In Galway, die am Nordufer der gleichnamigen Atlantikbucht gelegene größte Stadt des irischen Westens, beherbergt eine zweisprachige Universität: Deshalb ist die Hälfte aller knapp 60.000 Einwohner zwischen 14 und 44 Jahren jung. Auch von hier aus kann man mit Fähren zu den Aran-Inseln fahren. Galway ist bekannt für seine Festivals mit Theater, Kunst- und Musikveranstaltungen. Auch das war wohl ausschlaggebend, Galway im Jahr 2020, zusammen mit Rijeka (Kroatien), zur Kulturhauptstadt Europas zu küren.

Von hier scheint übrigens der Ausdruck von „Lynch-Justiz" zu stammen. Angeblich habe Bürgermeister James Lynch eigenhändig seinen Sohn getötet, weil dieser einen spanischen

Matrosen ermordete. Es habe sich sonst niemand bereitgefunden, das Urteil zu vollstrecken. Lynch soll danach ins Kloster gegangen sein. In der Market Street erinnert eine schwarze Marmortafel an die Stelle der Hinrichtung. In der Williamsgate residierte im 16. Jahrhundert die adelige Familie Lynch im Lynch-Castle; heute arbeitet dort eine Bank.

6. Tag

Loop Head, Wild Atlantic Way

Heute fahren wir zum äußersten Südwestzipfel der Grafschaft Clare, nach Loop Head. Auf dem Weg dorthin durchqueren wir Kilkee, seit 200 Jahren ein beliebter Ferienort mit Schiffsverbindung nach Limerick und ein bekanntes Tauch-Revier. Er liegt an einer halbrunden Bucht und die Duggerna Rocks, mit ihrer be-

sonders stark ausgeprägten Ebbe und Flut, schirmen ihn gegen den Atlantischen Ozean ab. Der Strand „lonely plane" sei hier trotzdem im Sommer mächtig voll. Davon können wir Mitte August nichts bemerken. Die Öffentliche Toilette am Strand, finden einige von uns als „not rearly delicious". Donald Trump besitzt hier einen Golfclub, weiß Ecki. Das interessiert kaum jemanden von uns. Also Augen zu und weiter.

Die Fahrt nach Loop Head zur äußersten Spitze der Halbinsel am Mouth of the Shannon bietet uns ein besonderes Erlebnis und erst recht das Spazieren an den Abgründen der Klippen. Ähnlich wie bei Moher, eigentlich aber noch viel dramatischer und kleinteiliger stürzen sie wie brüchiger Käse ins Meer ab.

Loop Head gehört zu den Drehorten von „Star Wars" und „Die letzten Jedi". Baumeister der meist spektakulären Steilküsten sind die Wogen des Atlantiks, der wilden Irischen See und der unermüdliche Wind.

Der Südwesten des County Clare bildete vor 320 Millionen Jahren ein riesiges Flussdelta. In den Felsen neben der Bucht in der Nähe des Parkplatzes gibt es Spuren von Wellen und Schmutz. An der vordersten Seite der Bucht zeugen die Felsen von einer Schlammlawine und Sandvulkanen, die sich als Wasserblasen gebildet haben, während sich die Schlammlawine ansiedelte.

Schild am Abgrund

Von den ehemals drei natürlichen Brücken; hat nur eine überlebt. Die anderen zwei lösten sich im 19. Jahrhundert allmählich auf und brachen in die See. Das haben wir Touristen zu verdanken, die am liebsten auf so einer Brücke fotografieren. Die Wellen finden Schwachstellen in den Höhlen und Klippen und tragen sie weg. Wenn alte Brücken zusammenbrechen, entstehen neue Brücken. In hundert Jahren könnte es wieder drei Brücken geben.

Ein weiteres Schild weist auf den „Sprung des Liebhabers" hin, eine mythische Geschichte über

eine Begebenheit auf der Landzunge aus dem soge-
nannten Finn-Zyklus, eine Sammlung von Sagen
aus dem 3. Jahrhundert und bis heute immer wieder
ergänzt. Angeblich kämpfte Chuculainn, der mäch-
tigste der irischen Krieger, mit der Hexe Man. Sie
stürzte tot ins Meer und das Wasser verfärbte sich
blutrot. Eine gewisse Gráinne sollte Fionn McCool
(keltische Mythologie) erneut heiraten. Doch die floh
mit ihrem Liebsten quer durch Irland und ewig ver-
folgt von jenem Fionn.

Die meisten von uns spazieren um die Leucht-
turmanlage mit dem 23 Meter hohen Light-
house. Auf den Wiesen liegen große weiße
Buchstaben: EIRE. Sie stammen aus dem
Zweiten Weltkrieg und dienten dem Zweck,
Piloten aufmerksam zu machen, dass sie neu-
tralen Luftraum überfliegen, Dicke Moospols-
ter und Grasinseln mit blauen Blümchen bieten
uns eine weiche Unterlage. Dazwischen gibt es
auch einige feuchte moorige Stellen. An der
Nordseite der Landzunge liegt eine einzeln stehende, langgezogene Klippe, als sei sie vom
Festland abgesprengt worden. Eine dramati-
sche Landschaft, in der man Krimis drehen
sollte. Riesige Möwen beäugen uns. In der Fer-
ne sehen wir die Silhouette vom Blasket Island
und den Berg Brandon Mountain (953 Meter)
auf der Halbinsel Dingle. Viele Kühe stehen

auf den Weiden. Witzigerweise lassen sie beim Fressen kleine Inseln mit gelben Blümchen aus. Die schmecken wohl nicht.

Endlich Irish Coffee

In Kilbeha kehren wir zur Mittagspause ein. Leckeres Essen erwartet uns: Cod (Kabeljau) gebacken in einer Paprikasoße mit mashed Potatoes (Kartoffelpürree). Danach entschließen wir uns fast alle für einen Irish Coffee. Das war aber langsam mal fällig. Ein neuerlicher Fotostop an den Kilkee-Cliffs offenbart weitere, ein paar hundert Meter tiefe Schluchten. Es sieht aus, als habe ein Riese mit einem Messer einzelne Brocken vom Festland abgeschnitten.

Fleadh in Ennis

Weiterfahrt nach Ennis, wo das Musik-Festival Fleadh tobt. Fleadh ist eine veraltete Schreibweise des irischen Wortes fleá, und bedeutet ein Fest oder Festival. Es wird im Namen zahlreicher Festivals verwendet, die irische Kultur zum Thema haben. Fleadh findet jedes Jahr in einer anderen Stadt statt. Ecki lässt uns am O'Connor-Denkmal raus, weil er wegen der überfüllten Stadt weit weg parken muss. Zu Fuß drängeln wir uns also durch die nachmittäglichen Menschenmassen.

Alle paar Meter ertönt eine neue Musik: Dudelsack, Geigen, Trom-
meln, Harfe, Flöten.
Knopfakkordeon. Iri-
sche Musik ist so alt wie
die Berge, heißt es. Sie
liegt den Iren im Blut
und das überkommt sie
schon in jüngsten Jah-
ren. Tagsüber führen
überwiegend Kinder
ihre Steppkünste auf der
Straße vor. Dabei sind
wahre Künstler. Ange-
feuert von ihren Müt-
tern und Freunden wer-
fen sie die Füße und
bearbeiten den Asphalt,

als hieße es, Spuren zu hinterlassen. Natürlich steht auch überall ein Behälter für das gespendete Kleingeld. Das haben sie sich auch verdient. Und sie machen das alle sehr gut. Voller Melodien in Kopf machen wir uns auf den, diesmal etwas längeren Heimweg zum Bus. Ecki bietet an, Nachtschwärmer abends noch einmal nach Ennis zu fahren. Wir packen vor. Morgen früh wird ausgecheckt für ein neues, das letzte Hotel auf dieser Reise.

7. Tag

Unser letzter Tag. Da wir im County Limerick unterwegs sind, regt Eva an, dass wir uns doch mit einigen Limericks verwirklichen sollten. Ein Limerick ist ein scherzhaftes Gedicht in fünf Zeilen mit dem jeweiligen Reim-Ende aabba. Beispiel:

Einst reisten wir durch ein Land
dessen Sprache uns unbekannt.
Sie klang wohl nach Brummen.
Wir versuchten zu summen.
Doch niemand uns richtig verstand.
Aber irgendwie wurde es dann trotzdem vergessen, die Limericks abzugeben und zu verlesen. Hat überhaupt jemand einen verfasst?

Limerick

Wir fahren durch Limerick. Einst Wikinger-gründung auf einer Insel im Shannon, im 17. Jahrhundert Heldenstatus im Kampf der Iren gegen die englischen Machthaber. Heute sei die 80.000 Einwohner zählende Stadt ein sozialer Brennpunkt. Bandenkriege. Ghettoähnliche Zustände. Aber auch Europäische Kultur-hauptstadt 2014. Ein Tunnel unterquert den Shannon, der durch die Stadt fließt. Der nur 24 Kilometer entfernte Regional-Flughafen gilt als praktische Alternative, wenn man schnell in den Westen will. Limerick wurde von Wikin-gern im 9. Jahrhundert gegründet. Übersetzt heißt der Name „öder Fleck". Von hier aus unternahmen sie ihre Raubzüge ins Landesin-nere, bis sie von König Brian Ború vertrieben wurden. Auch hier herrschte im 17. Jahrhun-dert Unfrieden zwischen Iren und Engländern. 1691 wurden 10.000 irischen Soldaten, nach-dem sie die Stadt tapfer verteidigt hatten, ein ehrenvoller Abzug von König William III. zu-gesichert; doch das englische Parlament ver-weigerte die Ratifizierung. Es erkannte die reli-giöse Freizügigkeit nicht an. Da zogen die Truppen nach Frankreich, von wo sich im Ver-lauf der Jahrzehnte Hunderttausende Bürger nach Frankreich und Spanien absetzten.

Idyllisch am Flussufer erhebt sich das Schloss King John`s Castle aus dem 13. Jahrhundert. Wir sehen es im Vorbeifahren. Hier sollte der nie erfüllte Vertrag für die 10.000 Soldaten unterschrieben werden. Das ehemalige Custom House beherbergt heute die Sammlung des Kunsthistorikers John Hurt, dem Initiator des Freilichtmuseums Craggaunowen.

Siehe Seite 72

Lough Gur

Dieser hufeisenförmige See liegt nahe dem Städtchen Bruff, südlich von Limerick. Das Gebiet um den See gehört zu den bedeutendsten archäologischen Anhäufungen von Fundstätten in Irland. Menhire und Beehive-huts (bienenkorbähnliche Stapelrundbauten) zeugen davon, dass diese Gegend schon seit mehr als 6000 Jahren besiedelt ist.

Als wichtigstes Objekt jedoch gilt der Steinkreis von Grange. Mit einem Durchmesser von 45 Metern und bis zu 2,8 Metern hohen Steinen ist er der größte Irlands. In seiner Mitte fand man ein Pfostenloch, woraus die Archäologen schlossen, dass die Anlage mit einer Art riesigem Zirkel angelegt wurde. Es gibt zwölf sehr große Steine und eine Menge kleinerer, was schon an eine Uhr erinnert. Man datiert

Grange auf die gleiche Zeit wie Stonehenge, also etwa 2.000 v. Chr. In Irland lägen noch wenigstens 200 kleinerer Steinkreise, weiß Ecki. Und noch etwas: Unter dem absolut planen Boden fand man eine Lehmschicht, als sei der Boden extra für den Steinkreis aufbereitet worden. Anscheinend weideten hier einmal Kühe, spekulieren wir. Aber springen die über die Steine? Nein, beim Ablaufen des Steinkreises finden wir einen Eingang.

Wir passieren Tipperary, was Eva und Ecki sofort zum Anstimmen des Liedes „Ist a long way to Tipperary" bringt. Britische Truppen sangen es Anfang des 20. Jahrhunderts, so dass es Eingang in die aufkeimende Unterhaltungsmusik fand. Man vermutet jedoch, dass der Liedtexter nie in dem heute 5.000 Seelen zählenden Ort gewesen sei, sondern nur den Namen schick fand. Vielmehr sei er aus der Gegend von Manchester gekommen. Auch der Komponist war kein Ire, sondern der englische Entertainer Jack Judge. Und eigentlich sei das Ganze eine Schnapsidee, eine Kneipenwette gewesen. Judge hatte fünf Shilling gewettet, dass er bis zum nächsten Tag ein Lied komponieren könne. Auf dem Weg nach Hause habe er Wortfetzen von irischen Soldaten aus Tipperary aufgeschnappt: „Ist a long way…" Tipperarys prominente Abkömmlinge waren vermutlich die Familie Ceinnedigh, die sich irgendwann in „Kennedy" umbenannte.

Rechts vom Bus erheben sich die Galty Mountains. Ja, es ist nicht alles flach in Irland. Auf der N8 erreichen wir unseren nächsten, schon von weitem sichtbaren Höhepunkt

Rock of Cashel

Wie ein Zeichen Gottes thront die mächtige Kathedrale aus dem 13. Jahrhundert auf dem Fels. Die alten Kirchen scheinen regelrecht aus dem Felsen empor zu wachsen. „Irlands Akropolis" gilt als Ziel vieler Reisenden und auch wir müssen uns anstellen. Die Queen besuchte diesen Ort 2011 auf ihrer Historischen Irlandreise.

Cashel war der wichtigste Platz des südlichen Irlands, weil Sitz der keltischen Könige Munsters. Hochkönig Brian Ború, der spätere Bezwinger der Wikinger, wurde 977 hier gekrönt. Brian Bóru, auch Brian Bóruma, Brian Bórama oder Brian Bóroimhe, eigentlich Brian Bóruma Mac Cennétig (geboren um 940, gestorben am 23. April 1014) war Sohn des Königs des Clans der Dál gCais (Dalcassians) und kurze Zeit erster und einziger irischer Hochkönig. Auch hier wütete Cromwells Armee 1647, aber nicht wirklich vernichtend, wie es ihre Absicht war.

Durch die Vorhalle betreten wir die dreischiffige Kathedrale. Ein Rundturm erhebt sich auf

28 Meter. Für die beiden ungleichen Türme habe die Jakobskirche in Regensburg Modell gestanden. Ja, man kann sich hier echt verlaufen. Wir bewundern eines der spätesten Hochkreuze, den hohlen Krönungsstein der Könige von Munster. Die Cormac's Chapel (1127 bis 1134) ist ein Meisterwerk irischer Romanik mit einem Kreuzrippengewölbe und den vermutlich ältesten Fresken Irlands mit Köpfen und Fratzen. 1142, so hören wir, kam die Gotik nach Irland; sie konnte sich aber nie als ausschließliche Baukunst durchsetzen.

Die Iren hätten ein gestörtes Gefühl zu ihren Zeitzeugen, meint Ecki. Es gebe vermutlich in keinem Land so viele Ruinen von Burgen, Klöstern und Kirchen, weil der Staat das nicht alles schützen, sichern und restaurieren könne.

Kilkenny, unsere letzte Station

„Marble City" wird die 19.000 Einwohner zählende Stadt am River Nore genannt, weil viel wie schwarzer Marmor polierter Kalkstein verbaut wurde. Im Vergleich zu anderen Stätten wurde hier viel renoviert und restauriert. Reihen georgianischer Häuserzeilen vermitteln ein elegantes, bedeutendes Ambiente. Der erste Anziehungspunkt, das mittelalterliche Kilkenny Castle, liegt am Nore-Ufer.

Seine Anfänge stammen aus dem 13. Jahrhundert; jedoch wurde es vom 14. bis 20. Jahrhundert mehrfach erweitert für die Familie Butler. Später mehr darüber. Bekannt ist Kilkenny für das hier ansässige Design Centre, in dem viele im Ort ansässigen Designer und Gestalter ihre nicht gerade billigen Kreationen ausstellen und verkaufen: Mode, Kleinmöbel, Schmuck. Tolle Sachen.

Bummeln in Kilkenny

Die Häuser vermitteln nicht unbedingt das, was wir als mittelalterlich empfinden. Fast alle haben bunte Fassaden, teils grelle Farben und viele Säulen im Eingangsbereich. Neben der Arkaden-geschmückten Town Hall verhilft der witzige Butter Slip, ein schmaler Durchschlupf wie aus Venedig bekannt, von der High-Street zurück zur St. Kieran-Street.

Auf beiden reihen sich Pub an Pub, Antiquitätenläden und Souvenirgeschäfte. Im Mittelalter soll das hier eine der Hauptstädte gewesen sein.

Kilkennys Straßen sind so angeordnet, dass man eine bequeme Runde laufen kann. Dazu  überqueren wir den River Nore auf der Johns-Bridge und schwenken als erstes nach rechts auf die St. Kieran Street ein, wo sich kleine enge Häuschen malerisch aneinander drücken. So erreichen wir das berühmt-berüchtigte Kytler's Inn, ein typisch irischer Pub, in dem es abends häufig Lifemusik gibt. Über die Parliament-Street nach rechts erreichen wir die Black Abbey. Sie ist nicht schwarz, sondern heißt so, weil die Dominikaner-Mönche hier schwarze Kutten trugen. 1225 von Sir William Marshall, Earl of Pembroke gegründet, begeistern heute hauptsächlich die faszinierenden Fenster.

Die ovalförmig angelegte Straßenrunde aus High Street und St. Kieran Street nennt sich zwar „Medieval Mile", also mittelalterliche Strecke. Doch die durchaus repräsentativ aussehenden Wohnhäuser wirken auf uns wenig mittelalterlich; vermutlich weil sie kein Fachwerk zeigen, weil sie zwei- und dreistöckig angelegt und teilweise mit Platten verkleidet oder bunt angestrichen sind. Auffallend sind die üppigen Blumenkübel in allen Straßen, als erwarte man hohen Staatsbesuch oder viele Touristen. Tatsächlich sind hier viele junge Menschen mit Rucksäcken unterwegs. Sie sitzen überall auf Straßen und Brückenbrüstungen und schnabulieren Eis und billiges Junkfood.

Wir genehmigen uns noch einen Irish Coffee, der heute irgendwie dünn schmeckt. Also noch einen zum Abschied. Der Irish Coffee wurde übrigens 1942 erfunden. Joe Sheridan, Küchenchef des gerade eröffneten Restaurants im Terminal des Hafens für Wasserflugzeuge bei Foynes servierte durchgefrorenen Transatlantik-Passagieren Kaffee mit einem Schuss irischen Whiskeys.

Das Abendessen findet in einem aufregenden Raum statt: die Decken mit aufgeputzten Ästen, Designer-Stühle mit hohen Rückenlehnen, auf die ich schlagartig mit Rückenschmerzen und einem steifen Genick reagiere. Die Speisekarte macht Spaß: Neben Chickenwings und Suppe könne man wählen unter Fisch in Estragonsoße und Roasted stuffed Turkey und Schinken, was ich unserer englischunkundigen Tischgenossin scherzhaft als gebratenen Türken unterjubeln will. Zum Dessert wählen wir beide Fruchtsalat mit Sahne, wobei Monika an unserem Tisch auf Ananas tippt, auf die sie allergisch reagiere. Der Waiter kann nicht ausschließen, dass sich in der Fruchtmischung auch Ananas befindet. Monika verzichtet darauf auf jegliches Dessert, versorgt uns dafür mit einer schaurigen Geschichte, als sie einst auf einer fernen Insel mit zwei Strohhalmen über drei Stunden belüftet worden sei, als ihr nach dem Verzehr von Ananas der Hals zugeschwollen sei. Upps.

Wir bedauern einmal mehr, dass es nach den Abendessen so gut wie nie ein gemütliches Zusammensitzen gegeben hat, mit Ausnahme von Egon und Gudrun aus Groß-Umstadt, mit denen wir uns zwei Mal mit einer Flasche Wein zusammentrafen. So laufen wir auch heute Abend noch einmal alleine durch die nächtlichen Straßen, quasi zum Absacken; denn morgen geht es ja heim.

Wir landen vor dem In-Pub Kytelers Inn. Der Pup ist nach der mehrfachen Witwe Alice Kyteler benannt, die im Verdacht stand, ihre vier verflossenen Ehemänner um die Ecke gebracht zu haben. Nur durch Flucht konnte sie sich der Verurteilung als Hexe entziehen. Darin gibt es gerade tolle irische Life-Musik, aber keine Chance auf einen Sitzplatz. Schon jetzt stehen die meisten. Wir finden vis ´a vis einen Pub mit Außentischen, an dem wir die Kytelers Musik auch noch hören. Wir sind warm genug angezogen, um der aufkommenden Kühle zu trotzen, gemütlich unser Glas Rotwein zu trinken und die vorbeilaufenden Leute zu beobachten. Gegenüber scheinen sich gerade zwei gefunden zu haben. Noch halten sie sich an ihren Fahrrädern fest, aber seine Hand findet dann doch noch ihre Schultern. Vermutlich sind wir die einzigen Zeugen bei ihrem ersten Kuss. Wie schön.

Kilkenny Castle

Die normannische Burganlage, zwischen 1195 und 1213 errichtet, überragt die Stadt nur wenig, weil sie bestimmt war, um die Furt am Rivers Nore und dorthin mündende Handelswege zu kontrollieren und Wegezoll einzukassieren. Siehe Seite 89. Auch nach dem Abzug der Normannen galt sie als wichtige strategische Verteidigungsanlage von Kilkenny. Von den ursprünglich vier dominierenden Ecktürmen sind nur noch drei erhalten und Teile des ehemaligen Burggrabens. Nach dem Tod des letzten Besitzers Humpfrey de Bohun, 3. Earl of Hereford, im Jahre 1381 fiel die Burg an die englische Krone und wurde zehn Jahre später an die Familie Butler, die Earls of Ormonde, verkauft, die hier mehr als 500 Jahre residierten.

Die Butlers, Ursprungsname Fitz Walter, und Earls of Ormonde kamen mit den Normannen nach Irland. Die Tochter des 7. Earls of Ormonde, Anne Boleyn, war die zweite Frau von Heinrich VIII, der englische König mit den sechs Frauen. Anne fiel bei ihm in Ungnade, weil sie keinen männlichen Thronfolger gebären konnte und wurde 1536 enthauptet. Immerhin: Ihre Tochter, Elisabeth I., wurde später eine der bedeutendsten und am längsten regierenden Königinnen Englands.

Im 17. Jahrhundert war das Castle Hauptquartier der katholischen Rebellen und Sitzungsort des Parlaments. 1650 belagerte Oliver Crom-

well die Burg, wodurch es zu ersten Beschädigungen der Außenanlage kam. 1661 kehrte James Butler, der vorrübergehend ins Exil geflohen war, zurück und baute die Burg um zu einem modernen Schloss. Seit dem heißt das Castle Castle.

Doch im 18. Jahrhundert verarmte die Familie Butler und war auf das Vermögen angewiesen, dass die Schwiegertochter Anne Wandesford von Castlecomer in die Ehe mit John Butler, 17. Earls of Ormonde in die Familie brachte. Auch das 19. Jahrhundert überstanden sie, konnten sogar kleine Rekonstruierungen und

Anbauten realisieren. Generation folgte auf Generation. Erbstreitereien, und hohe Verluste durch fällige Erbschaftssteuern und immer wieder Renovierungsnotwendigkeiten ließen die Basis des Vermögens abschmelzen. Nach über 570 Jahren im Besitz der Familie wurde Kilkenny Castle im Jahr 1967 von James

Butler, 6. Marquess of Ormonde, an das Kilkenny Castle Restoration Commitee für 50 Pfund an den irischen Staat verkauft. Das Schloss war angeblich heruntergewirtschaftet. Unvergessen ist trotzdem, dass sich die Familie in Zeiten von Hungersnöten immer als großzügig gezeigt habe.

Heute gibt es wieder drei Türme, die zum Teil als Konferenzräume geöffnet werden. Wir gehen durch einige Repräsentationsräume, vor allem die Long Gallery mit schöner Tapisserie und einem kunstvoll farbenprächtig ausgemalten Gewölbe. Ein gewisser John Pollum habe diese Decke bemalt mit ursprünglich 180 Bildern, von denen heute noch 50 existieren. Es waren durchgängig Landschaftsbilder mit denen man protzte, wo in der Welt man schon gewesen sei. Auf einem Marmorkamin finden sich Motive verschiedener Phasen der Butlers, unter anderem König Richard II., der Pate eines Butler-Kindes war.

Und dann die herrlichen Gemälde, von denen einige als Originale in Windsor Castle hängen. Die Butler Gallery gilt heute als eine der bedeutendsten irischen Kunstsammlungen außerhalb Dublins. Einfach lieblich ist der Blick der ebenfalls rekonstruierten Gartenanlage, den wir durch die Fenster fotografieren dürfen. Eine grüne Oase scheinbar fernab von der Stadt.

Die gefährlichsten Weltanschauungen sind die jener Leute, die die Welt nicht angeschaut haben. Alexander von Humboldt.

Irland in Zahlen

3,8 Millionen Einwohner zählt die Republik Irland und 1,7 Millionen Nordirland. Die größten Städte sind Dublin mit 1,1 Millionen Einwohner und Belfast mit 300.000. Die Republik Irland ist als Reiseland sehr beliebt. 2018 besuchten alleine mehr als 800.000 Deutsche die grüne Insel, 20 Prozent mehr als 2017. Tourismus ist Irlands größte heimische Industrie und beschäftigt 325.000 Menschen auf der gesamten Insel. Seit 2002 kann man in Euro bezahlen.

Veranstalter: Europäisches Bildungs- und Begegnungzentrum (EBZ) Irland
www.Gaeltacht.de, www.ebzirland.de

Literatur:

Irland, Baedeker, 10. Auflage, 2005
Irland, lonely planet, 7. Auflage, 2018
Irland, Marco Polo, 17. Auflage, 2018
Radtouren in Irland, Bruckmann, 1993
Irland, HB Bildatlas, 2006
Irland, Merian, 1976
Wikipedia
Irisches Tagebuch, Heinrich Böll
Oscar Wilde, Märchen und Erzählungen
Die Asche meiner Mutter, Frank McCourt

Weitere Bücher von den Autoren

Norderney im Winter - kein Fall von Toter Hose

Wenn die Weihnachtsbesucher wieder abgereist sind, beginnt auch für die Gäste bis Ostern eine reizvolle Zeit, in der sie mit den Insulanern näher zusammenrücken.  Fast alles läuft weiter: Kur- und Badeeinrichtungen, Kino, Conversationshaus, etliche Museen und die meisten der typischen Inselrestaurants.

ISBN; 978-3-7392-4299-6, 7,99 €, E-Book 4,99 €

Azoren – wundersame Inselwelt im Atlantik

Der Archipel der neun Vulkan-Inseln ragt aus den Tiefen des Atlantiks. Wir besuchten die Hauptinsel São Miguel, Horta auf Faial und sehr  ausführlich die Insel Pico samt Besteigung des 2.351 Meter hohen Pico, höchster Berg Portugals. Auswanderer-Freunde zeigten uns die reizvollsten Punkte.

ISBN: 978-3-7412-8040-5, 11,99 €, E-Book 4,99 €

Rom – Bernini, Borromini, Caravaggio und viele Skandale

Unterwegs mit einer Kunsthistorikerin erfasste uns die Leidenschaft nach den Kulissen der Antike und berühmter Filme, nach den von Rivalität und tiefem Hass gesteuerten Meisterwerken der Barockbaumeister und nach den Werken Caravaggios, dem wilden cholerischen Maler.

ISBN: 978-3-7448-5660-7, 12,99 €, E-Book 4,99 €

Patagonien – ein aufregendes Ende der Welt

Zwölf neugierige Menschen unterwegs mit SKR auf einer riesigen Distanz. Sie erlebten Buenos Aires, Ushuaia, den Beagle-Kanal, die Naturparks Feuerland und Torre del Paine, Puerto Natales, El Calafate und die Gletscher Gray und Perito Moreno, und auch noch Santiago de Chile und Valparaiso.

ISBN: 978-3-7431-8152-6, 11,99 €, E-Book 5,49 €

Island mit dem Schiff

Anstatt viele tausend Kilometer auf der unwirtlichen Insel mit dem Auto abzureiten, reist es sich bequem mit Schiff und Bus-und Zodiak-Ausflügen zu den berühmten Sehenswürdigkeiten. In zehn Tagen hat man das Wichtigste stressfrei erlebt und dabei gut geschlafen und exzellent gegessen

ISBN: 978-3-7460-3453-9, 12,99 €, E-Book 8,99 €

Zugspitze: Warten auf Panorama

Die Aussicht auf 400 Alpengipfel ist weder stündlich noch täglich möglich. Wir beschrieben erlebnisreiche Ausflüge rund um dieses grandiose Zeitfenster, dazu die Varianten, wie man trotz kaputter Seilbahn genussvoll den Gipfel von Deutschlands höchstem Berg erreicht.

ISBN: 978-3-7528-2329-5, 7,99 €, E-Book 4,99 €

Apulien – im Schlaraffenland des Stauferkaisers

Dieser anfängliche trend-tours-Alptraum endete mit viel Begeisterung für Städte, Landschaften und Kulinarik. Wir sahen Matera, Castel Monte, Alberobello, Lecce, Bari, Gallipoli, Martina Franca, Locotorondo, Otranto, Ostuni, Cisternino, die gigantische Castellana Grotte und auch noch Amalfi.

ISBN: 978-3-7528-3887-9, 11,99 €, E-Book 6,99 €

Schicksalsberg Marmolata – mit Fassatal

Das Abenteuer der 18jährigen, die nach 52 Jahren nicht im Fedai-Stausee auftaute. Spurensuche nach einer Gletscherspalte, die es nicht mehr gibt, nach überlebenden Bergrettern, nach den touristischen Pionieren der Dolomiten und des Fassa-Tals. Ein Reisebericht voller Mystik und kleiner Wunder.

ISBN 978-3-7481-7279-6, 12,99 €, E-Book 8,49 €

Gardasee – auf die billige Tour

Was darf man erwarten von einer 5-tägigen Bustour für unter 400 Euro? Die Autoren no-tierten und fotografierten al-les, das Schöne und das Ab-schreckende, Merkwürdigkei-ten und Ideen, wie man aus Schrott noch immer eine lus-tige Reise für wenig Geld er-leben kann. Upps. Der Reise-veranstalter war Trendtours.

ISBN 978-3-7392-4299-6, 6,99 €, E-Book 3,49 €

Marokko mit RSD

Eine berührende sinnliche Reise durch die vier märchenhaften Königsstädte Marrakesch, Fès, Meknes und Rabat mit einer Extratour nach Casablanca und Rick`s Café. Spannend auch die an-schließende Erholungswoche im Norden von Marrakesch mit weiteren Ausflügen nach Essaouira, zu den Traumgär-

ten von André Heller und Yves Saint Laurent und einer Safran-Farm .

ISBN 978-3-7481-9206-0, 13,99 €, E-Book 8,99 €

35 letzte Geschichten

Dackel-Dialoge für ihren sterbenden Jäger-Pappi

Diese Geschichten von Filou und Heidjer entstanden aus der Hilflosigkeit, dass der Tod unseres schwer erkrankten Nachbars und Freunds nicht mehr abwendbar war. Wir erfanden für ihn Geschichten um seine beiden heiß und innig geliebten Dackel. Täglich eine sollte ihn weiterleben lassen. 35 Tage lang.

ISBN 978-3-7460-9884-5, 7,99 €, E-Book 3,99 €